GW00391866

Hannelore Cayre est avocate pénaliste à Paris. Elle est notamment l'auteur de *Commis d'office* publié en 2004, qu'elle a porté elle-même à l'écran.

Hannelore Cayre

LA DARONNE

ROMAN

Éditions Métailié

TEXTE INTÉGRAL

ISBN 978-2-7578-7109-6

© Éditions Métailié, 2017

À mes enfants

1

L'argent est le Tout

Mes fraudeurs de parents aimaient viscéralement l'argent. Pas comme une chose inerte qu'on planque dans un coffre ou que l'on possède inscrit sur un compte. Non. Comme un être vivant et intelligent qui peut créer et tuer, qui est doué de la faculté de se reproduire. Comme quelque chose de formidable qui forge les destins. Qui distingue le beau du laid, le loser de celui qui a réussi. L'argent est *le Tout* ; le condensé de tout ce qui s'achète dans un monde où tout est à vendre. Il est la réponse à toutes les questions. Il est la langue d'avant Babel qui réunit tous les hommes.

Il faut dire qu'ils avaient tout perdu, y compris leur pays. Il ne restait plus rien de la Tunisie française de mon père, rien de la Vienne juive de ma mère. Personne avec qui parler le pataouète ou le yiddish. Pas même des morts dans un cimetière. Rien. Gommé de la carte, comme l'Atlantide. Ainsi avaient-ils uni leur solitude pour aller s'enraciner dans un espace interstitiel entre une autoroute et une forêt afin d'y bâtir la maison dans laquelle j'ai grandi, nommée pompeusement *La Propriété*. Un nom qui conférait à ce bout de terre sinistre le caractère inviolable et sacré du Droit ; une sorte de réassurance constitutionnelle qu'on ne les foutrait plus jamais dehors. Leur Israël.

Mes parents étaient des métèques, des rastaquouères, des étrangers. *Raus. Une main devant, une main derrière.* Comme tous ceux de leur espèce, ils n'avaient pas eu beaucoup le choix. Se précipiter sur n'importe quel argent, accepter n'importe quelles conditions de travail ou alors magouiller à outrance en s'appuyant sur une communauté de gens comme eux ; ils n'avaient pas réfléchi longtemps.

Mon père était le PDG d'une entreprise de transport routier, la Mondiale, dont la devise était *Partout, pour tout.* « PDG », un mot qui ne s'emploie plus aujourd'hui pour désigner un métier comme dans *Il fait quoi ton papa ? – Il est PDG...*, mais dans les années 70 ça se disait. Ça allait avec le canard à l'orange, les cols roulés en nylon jaune sur les jupes-culottes et les protège-téléphones fixes en tissu galonné.

Il avait fait fortune en envoyant ses camions vers les pays dits *de merde* dont le nom se termine par *-an* comme le Pakistan, l'Ouzbékistan, l'Azerbaïdjan, l'Iran, etc. Pour postuler à la Mondiale il fallait sortir de prison car, d'après mon père, seul un type qui avait été incarcéré au minimum quinze ans pouvait accepter de rester enfermé dans la cabine de son camion sur des milliers de kilomètres et défendre son chargement comme s'il s'agissait de sa vie.

Je me vois encore comme si c'était hier en petite robe de velours bleu marine avec mes chaussures vernies Froment-Leroyer, à l'occasion de l'arbre de Noël, entourée de types balafrés tenant dans leurs grosses mains d'étrangleurs de jolis petits paquets colorés. Le personnel administratif de la Mondiale était à l'avenant.

Il se composait exclusivement de compatriotes pieds-noirs de mon père, des hommes aussi malhonnêtes que laids. Seule Jacqueline, sa secrétaire personnelle, venait rehausser le tableau. Avec son gros chignon crêpé dans lequel elle piquait avec coquetterie un diadème, cette fille d'un condamné à mort sous l'Épuration avait un air classieux qui lui venait de sa jeunesse à Vichy.

Cette joyeuse équipe infréquentable sur laquelle mon père exerçait un paternalisme romanesque lui permettait en toute opacité d'acheminer des cargaisons dites *additionnelles* à ses convois. C'est ainsi que le transport de morphine-base avec ses amis corses-pieds-noirs puis d'armes et de munitions avait fait la fortune de la Mondiale et de ses employés royalement payés jusqu'au début des années 80. Pakistan, Iran, Afghanistan, je n'ai pas honte de le dire, mon papa-à-moi a été le Marco Polo des Trente Glorieuses en rouvrant les voies commerciales entre l'Europe et le Moyen-Orient.

Toute critique de l'implantation de *La Propriété* était vécue par mes parents comme une agression symbolique si bien que nous ne parlions jamais entre nous du moindre aspect négatif de l'endroit : du bruit assourdissant de la route qui nous obligeait à hurler pour nous entendre, de la poussière noire et collante qui s'insinuait partout, des vibrations ébranlant la maison ou de la dangerosité extrême de cette six voies où un acte simple comme rentrer chez soi sans se faire percuter par l'arrière relevait du prodige.

Ma mère ralentissait trois cents mètres avant le portail afin d'aborder le bateau en première, warning allumé, sous un tonnerre de klaxons. Mon père, les rares fois où il était là, pratiquait avec sa Porsche une forme de terrorisme du frein moteur, faisant hurler son V8 en rétrogradant de deux cents à dix à l'heure en quelques mètres, contraignant celui qui avait le malheur de le suivre à des embardées terrifiantes. Quant à moi, évidemment je n'ai jamais eu la moindre visite. Lorsqu'une copine me demandait où j'habitais, je mentais sur mon adresse. De toute façon personne ne m'aurait crue.

Mon imagination d'enfant avait fait de nous des gens à part : *le peuple de la route.*

Cinq faits divers étalés sur trente ans sont venus confirmer cette singularité : en 1978, au numéro 27 un gosse de treize ans avait massacré, avec un outil de jardin, ses deux parents et ses quatre frères et sœurs dans leur sommeil. Lorsqu'on lui a demandé pourquoi, il a répondu qu'il avait besoin de changement. Au 47 dans les années 80 a eu lieu une affaire particulièrement sordide de séquestration d'un vieillard torturé par sa famille. Dix années plus tard, au 12, s'était installée une agence matrimoniale, en fait un réseau de prostitution de filles d'Europe de l'Est. Au 18 on a retrouvé un couple momifié. Et au 5, récemment, un dépôt d'armes djihadiste. Tout ça est dans le journal, je ne l'ai pas inventé.

Pourquoi tous ces gens ont-ils choisi de vivre là-bas ?

Pour une partie d'entre eux, dont mes parents, la réponse est simple : parce que l'argent aime l'ombre et que de l'ombre il y en a à revendre sur le bord d'une autoroute. Les autres, c'est la route qui les a rendus fous.

Un peuple à part donc, parce qu'à table, lorsque nous entendions des crissements de pneus, fourchette levée, nous faisions silence. S'ensuivaient un bruit extraordinaire d'écrabouillement de ferraille puis un calme remarquable, sorte de discipline du glas que s'imposaient les automobilistes longeant au pas le méli-mélo de chairs et de carrosseries qu'étaient devenus ceux qui comme eux allaient quelque part.

Lorsque cela se passait devant chez nous, aux alentours du 54, ma mère appelait les pompiers puis nous laissions le repas en plan pour *aller à l'accident*, comme elle disait. Nous sortions les chaises pliantes et nous y rencontrions nos voisins. Ça se donnait en général le week-end à la hauteur du 60 où s'était installée la boîte de nuit la plus populaire de la région avec ses sept ambiances. Et qui dit boîte dit accidents prodigieux. C'est dingue le nombre de gens ivres morts qui arrivent à s'entasser dans une voiture pour y mourir en emportant dans leur élan de joyeuses familles lancées sur la route des vacances en pleine nuit pour se réveiller face à la mer.

Ainsi, *le peuple de la route* a assisté de très près à un nombre considérable de drames avec des jeunes, des vieux, des chiens, des morceaux de cervelle et de la boyasse… et ce qui m'a toujours surprise, c'est de ne jamais avoir entendu le moindre cri de la part de toutes ces victimes. À peine un *oh là là* prononcé tout bas par celles qui parvenaient jusqu'à nous en titubant.

Pendant l'année mes parents se terraient comme des rats derrière leurs quatre murs, se livrant à des calculs tant alambiqués qu'avant-gardistes d'optimisation fiscale, traquant dans leur mode de vie le moindre signe extérieur de richesse, leurrant ainsi la Bête attirée par des proies plus grasses.

Mais en vacances, une fois sortis du territoire français, nous vivions comme des milliardaires dans des hôtels suisses ou italiens à Bürgenstock, Zermatt ou Ascona, aux côtés des vedettes de cinéma américaines.

Nos Noëls nous les passions au *Winter Palace* à Louxor ou au *Danieli* à Venise… et ma mère reprenait vie.

Dès son arrivée, elle se ruait dans les boutiques de luxe pour acheter vêtements, bijoux et parfums, pendant que mon père faisait sa récolte d'enveloppes kraft bourrées de liquide. Le soir, il ramenait devant la porte de l'hôtel la Thunderbird décapotable blanche qui suivait je ne sais comment nos pérégrinations offshore. Même chose pour le Riva qui apparaissait comme par magie sur les eaux du lac des Quatre-Cantons ou sur celles du Grand Canal de Venise.

Il me reste beaucoup de photos de ces vacances fitzgéraldiennes mais je trouve que deux d'entre elles les contiennent toutes.

La première représente ma mère en robe à fleurs roses, posant près d'un palmier tranchant tel un pschitt vert sur un ciel d'été. Elle tient sa main en visière afin de protéger ses yeux déjà malades de la lumière du soleil.

L'autre est une photo de moi aux côtés d'Audrey Hepburn. Elle a été prise un 1er août, jour de la fête nationale suisse, au Belvédère. Je mange une grosse fraise melba noyée dans la chantilly et le sirop et, alors que mes parents sont sur la piste et dansent sur une chanson de Shirley Bassey, on tire un feu d'artifice magnifique qui se reflète sur le lac des Quatre-Cantons. Je suis bronzée et je porte une robe Liberty à smocks bleus qui vient rehausser le *bleu-Patience* de mes yeux, tel que mon père avait surnommé leur couleur.

L'instant est parfait. Je rayonne de bien-être comme une pile atomique.

L'actrice a dû sentir cette félicité immense car elle s'est spontanément assise à mes côtés pour me demander ce que je voulais faire quand je serais plus grande.

– Collectionneuse de feux d'artifice.

– Collectionneuse de feux d'artifice ! Mais comment tu veux collectionner une chose pareille ?

– Dans ma tête. Je voyagerai autour du monde pour tous les voir.

– Tu es la première collectionneuse de feux d'artifice que je rencontre ! Enchantée.

Là, elle a hélé un photographe de ses amis afin qu'il immortalise ce moment inédit. Elle a fait tirer deux photos. Une pour moi et une pour elle. J'ai perdu et oublié jusqu'à l'existence de la mienne mais j'ai revu la sienne par hasard dans un catalogue de vente aux enchères avec la légende : *La petite collectionneuse de feux d'artifice, 1972.*

Cette photo avait saisi ce que ma vie d'autrefois promettait d'être : une vie avec un avenir beaucoup plus éblouissant que tout le temps qui s'est écoulé depuis ce 1er août.

Après avoir couru pendant toutes les vacances à travers la Suisse pour ramener un tailleur ou un sac à main, la veille du départ, ma mère coupait toutes les étiquettes des vêtements neufs qu'elle avait accumulés et transvasait le contenu de ses flacons de parfum dans des bouteilles de shampoing au cas où l'inquisition douanière nous demande avec quel argent nous avions acheté toutes ces nouveautés.

Et pourquoi m'a-t-on appelée Patience ?

Mais parce que tu es née à dix mois. Ton père nous a toujours dit que c'était la neige qui l'avait empêché de sortir la voiture pour venir te voir après l'accouchement, mais la vérité, c'était qu'après une attente aussi longue, il était juste archi déçu d'avoir une fille. Et tu étais énorme... cinq kilos... un monstre... et d'un moche... avec la moitié de ta tête écrasée par les forceps... Quand enfin on est arrivé à t'extirper hors de mon corps, il y avait autant de sang autour de moi que si j'avais sauté sur une mine. Une vraie boucherie ! Et tout ça pour quoi ? Pour une fille ! C'est tellement injuste !

J'ai cinquante-trois ans. Mes cheveux sont longs et entièrement blancs. Ils sont devenus blancs très jeune, comme l'ont été ceux de mon père. Je les ai longtemps teints parce que j'en avais honte et puis un jour j'en ai eu marre de guetter mes racines et je me suis rasé la tête pour les laisser pousser. Il paraît qu'aujourd'hui c'est tendance ; en tout cas, ça va très bien avec mes yeux *bleu-Patience* et cela jure de moins en moins avec mes rides.

Je parle la bouche légèrement tordue, ce qui fait que le côté droit de mon visage est un peu moins ridé que le gauche. Le responsable en est une discrète hémiplégie due à mon écrasement initial. Ça me donne un genre faubourien qui, rajouté à mon étrange chevelure, n'est pas inintéressant. J'ai un physique robuste avec cinq kilos de trop pour en avoir pris trente à chacune de mes deux grossesses, laissant partir en roue libre ma passion pour les gros gâteaux colorés, les pâtes de fruits et les glaces. Au travail, je porte des tenues monochromes, grises, noires ou anthracites, d'une élégance sans recherche.

Je prends garde à être toujours apprêtée afin que mes cheveux blancs ne me donnent pas un air de vieille beatnik. Cela ne veut pas dire que je suis coquette ; à mon âge je trouve ce genre de minauderies plutôt sinistres... Non, je veux juste que lorsqu'on me regarde, on se récrie : *Dieu du ciel, que cette femme a l'air en forme...* Coiffeur, manucure, esthéticienne, injection d'acide hyaluronique, lumière pulsée, fringues bien coupées, maquillage de qualité, crème de jour et de nuit, sieste... C'est que j'ai toujours eu une conception marxiste de la beauté. Pendant longtemps je n'ai pas eu les moyens financiers d'être belle et fraîche ; maintenant que je les ai, je me rattrape. Vous me verriez, là, en ce moment sur le balcon de mon joli hôtel, on dirait Heidi dans sa montagne.

On dit de moi que j'ai mauvais caractère, mais j'estime cette analyse hâtive. C'est vrai que les gens m'énervent vite parce que je les trouve lents et souvent inintéressants. Lorsque par exemple ils essayent de me raconter laborieusement un truc dont en général je me fous, j'ai tendance à les regarder avec une impatience que j'ai peine à dissimuler et ça les vexe. Du coup, ils me trouvent antipathique. Je n'ai donc pas d'amis ; seulement des connaissances.

Sinon, je suis sujette à une petite bizarrerie neurologique ; mon cerveau associe plusieurs sens et me fait vivre une réalité différente de celle des autres gens. Chez moi, les couleurs et les formes sont couplées au goût et aux sensations comme le bien-être ou la satiété. Une expérience sensorielle assez étrange et difficile à expliquer. Le mot est *ineffable*.

Certains voient des couleurs lorsqu'ils entendent des sons, d'autres associent des chiffres à des formes. D'autres encore ont une perception physique du temps qui passe. Moi je goûte et ressens les couleurs. J'ai beau savoir qu'elles ne sont pas plus qu'un conciliabule quantique entre la matière et la lumière, je ne peux m'empêcher de sentir qu'elles résident dans le corps même des choses. Par exemple, là où les gens voient une robe rose, je la vois en matière rose, composée de petits atomes roses, et lorsque je l'observe c'est dans l'infiniment rose que mon regard se perd. Ça fait naître chez moi à la fois une sensation de bien-être et de chaleur mais aussi une envie irrépressible de porter ladite robe à ma bouche car le rose pour moi c'est aussi un goût. Comme « le petit pan de mur jaune », dans *La Prisonnière* de Proust, qui obsède tant le contemplateur de la *Vue de Delft* de Vermeer. Je suis sûre qu'à un moment, l'auteur a surpris l'homme qui lui a inspiré le personnage de Bergotte en train de lécher le tableau. Comme il trouvait ça trop fou et un tantinet dégoûtant, il n'en a pas parlé dans son roman.

Enfant, je n'arrêtais pas d'avaler de la peinture murale et des jouets en plastique monochrome en manquant de mourir plusieurs fois jusqu'à ce qu'un médecin plus créatif que les autres aille plus loin qu'un diagnostic banal d'autisme pour découvrir chez moi une synesthésie bimodale. Cette particularité neurologique expliquait enfin pourquoi lorsque je me trouvais devant une assiette aux couleurs mélangées, je passais mon repas à en trier le contenu, le visage ravagé de tics.

Il suggéra à mes parents de me laisser manger ce que je voulais du moment que les aliments qu'on me présentait me soient agréables à l'œil et qu'ils ne m'empoisonnent pas : des berlingots pastel, des cassates siciliennes, des choux à la crème rose et blanc et de la glace plombière bourrée de petits fruits confits multicolores. C'est lui également qui leur souffla le truc des nuanciers de peinture à feuilleter et des bagues avec de grosses pierres de couleur que je pouvais regarder des heures en mâchant ma langue, l'esprit totalement vide.

J'en viens aux feux d'artifice : lorsque apparaissent dans le ciel ces bouquets de chrysanthèmes incandescents, je ressens une émotion colorée si exceptionnellement vive qu'elle me sature de joie et me donne en même temps un sentiment de plein. Comme un orgasme.

Collectionner les feux d'artifice, eh bien ça serait comme être au centre d'un gang bang géant avec tout l'univers.

Et *Portefeux*... c'est le nom de mon mari. L'homme qui m'a protégée un temps de la cruauté du monde et m'a offert une existence de joies et de désirs exaucés. Les quelques merveilleuses années où nous avons été mariés, il m'a aimée telle que j'étais, avec ma sexualité chromatique, ma passion pour Rotkho, mes robes rose bonbon et mon incapacité à faire quoi que ce fût d'utile qui n'a eu d'égale que celle de ma mère.

Nous avons commencé notre vie dans des appartements magnifiques, loués avec le fruit de son labeur. Je précise bien *loués* – pour *insaisissables*, car mon mari comme mon père faisait des affaires... du genre de celles dont personne ne savait rien sinon qu'elles nous permettaient un immense confort matériel et sur lesquelles nul n'aurait songé à l'interroger tant il était généreux, sérieux et bien élevé.

Lui aussi faisait fortune grâce aux pays dits *de merde* dans une activité de conseil en développement des structures nationales de paris d'argent. Pour faire court, il vendait son expertise en loterie et PMU à des dirigeants de pays africains ou du lointain Sud-Est comme l'Azerbaïdjan ou l'Ouzbékistan. On imagine l'ambiance. Enfin moi, je la connais bien cette atmosphère de bout du chemin pour avoir séjourné de nombreuses fois, tant avec lui qu'avec ma famille, dans d'improbables hôtels internationaux. Les seuls endroits où la climatisation fonctionne et où l'alcool est correct. Où les mercenaires côtoient les journalistes, les hommes d'affaires, les escrocs en fuite. Où règne dans le bar un ennui tranquille propice au bavardage paresseux. Pas loin, pour ceux qui connaissent, de l'atmosphère cotonneuse de la salle commune des hôpitaux psychiatriques. Ou bien de celle que l'on trouve dans les romans de Gérard de Villiers.

C'est à Mascate au sultanat d'Oman que nous nous sommes rencontrés et c'est au même endroit qu'il est mort alors que nous y séjournions pour fêter nos sept ans de mariage.

Le lendemain matin de notre première nuit ensemble, au petit-déjeuner, il a tartiné sans le savoir mes toasts à l'image de mon tableau préféré : un rectangle de pain avec un aplat de confiture de framboises sur la moitié, puis du beurre sans rien sur un quart de la surface résiduelle et enfin de la confiture d'oranges jusqu'au bout du toast : *White Center (Yellow, Pink and Lavender on Rose)* de Rotkho.

Incroyable, non ?

En l'épousant je pensais baigner pour toujours dans l'amour et l'insouciance. Je ne pouvais pas m'imaginer qu'il puisse se passer dans la vie quelque chose d'aussi affreux qu'une rupture d'anévrisme en plein milieu d'un fou rire. C'est comme cela qu'il est mort à trente-quatre ans face à moi au Hyatt de Mascate.

Ce que j'ai ressenti lorsque je l'ai vu tomber la tête dans son assiette de salade est une indescriptible douleur. Comme si un vide-pomme m'avait été enfoncé d'un coup sec au centre du corps pour emporter mon âme tout entière. J'aurais aimé m'enfuir ou sombrer dans la torpeur d'un évanouissement miséricordieux, mais non, je suis restée clouée là, sur ma chaise, ma fourchette en suspens, entourée de gens qui continuaient tranquillement leur repas.

À partir de cet instant-là... pas une seconde avant, non, à partir de cet instant-là précisément, ma vie est devenue une vraie merde.

Ça a commencé pour moi sur les chapeaux de roues par des heures d'attente dans un improbable commissariat, entourée de valises avec deux gamines folles de chaleur sous le regard appuyé et plein de morgue des policiers du sultanat. J'en cauchemarde encore la nuit : moi, agrippée à mon passeport, calmant comme je peux mes deux filles mortes de soif, répondant avec un pauvre sourire aux remarques humiliantes que je suis censée ne pas comprendre, moi qui parle l'arabe.

Le rapatriement du corps de mon mari étant trop compliqué, un fonctionnaire dédaigneux a fini par me donner l'autorisation de l'inhumer au *Petroleum Cemetery*, le seul endroit de la région à accepter les koufars, tout en débitant notre carte bleue d'une somme exorbitante.

Voilà comment on se retrouve à vingt-sept ans avec un nouveau-né et une fille de deux ans, seule, sans revenu, sans toit sur la tête car il n'a pas fallu un mois pour que nous soyons chassées de notre bel appartement rue Raynouard vue sur Seine et que notre joli mobilier soit vendu. Quant à notre Mercedes intérieur cuir... eh bien le vieil érotomane bossu et multicondamné que mon mari employait comme chauffeur est carrément parti avec, en nous laissant en plan mes filles et moi devant chez le notaire.

À ce régime mon esprit n'a pas tardé à planter. J'avais déjà une tendance à tenir des conversations assidues avec moi-même et à manger des fleurs, mais un après-midi je suis partie comme une somnambule de chez Céline, rue François Ier, habillée de pied en cape avec des vêtements neufs en coassant à la cantonade *au revoir, je règlerai plus tard !*, quand deux pauvres vigiles noirs à oreillette me sont tombés dessus avant que je ne franchisse la porte. Je les ai frappés et mordus jusqu'au sang et on m'a embarquée direct à l'asile.

J'ai passé huit mois chez les fous à considérer ma vie d'avant comme une naufragée regarde obstinément la mer, en attendant que quelqu'un vienne à son secours. On me demandait de faire mon deuil comme s'il s'agissait d'une maladie dont il me fallait à tout prix guérir, mais je n'y parvenais pas.

Mes deux petites filles, trop jeunes pour avoir le moindre souvenir de leur merveilleux père, m'ont obligée à me tourner vers ma nouvelle existence. Avais-je le choix de toute façon ? J'ai compté les jours, puis les mois qui me séparaient de la mort de mon mari, et un jour, sans m'en apercevoir, j'ai cessé de compter.

J'étais devenue une nouvelle femme, mûre, triste et combative. Un être impair, une chaussette dépareillée : la veuve Portefeux !

Je me suis séparée de ce qui me restait de mon passé… de mon énorme cabochon de tourmaline Paraíba, de mon Padparacha rose, de mon petit *toi et moi* fancy blue and pink et de mon opale de feu… toutes ces couleurs qui m'avaient tenu compagnie depuis mon enfance… J'ai tout vendu pour m'acheter un petit trois-pièces sinistre à Paris-Belleville avec vue sur une cour qui donne sur une autre cour. Un trou où la nuit habite pendant le jour et où les couleurs n'existent pas. L'immeuble était à l'avenant ; un vieux logement social en briques rouges des années 20 aux mauvaises finitions, envahi progressivement par des Chinois qui s'interpellaient en gueulant d'un étage à l'autre toute la journée.

Et puis, je me suis mise au travail… Ah, oui, le travail… Personnellement, j'ignorais de quoi il s'agissait avant d'avoir été boutée hors du générique d'*Amicalement vôtre* par quelque entité malfaisante… Et puisque je n'avais rien d'autre à offrir au monde qu'une expertise en fraude en tout genre et un doctorat en langue arabe, je suis devenue traductrice-interprète judiciaire.

Après une telle dégringolade matérielle, je n'ai pu qu'élever mes filles dans la crainte hystérique du déclassement social. J'ai surpayé des écoles, hurlé quand elles avaient une mauvaise note, un trou dans leur jean ou les cheveux gras. Je n'ai pas honte de le dire, j'ai été une mère aigrie et pas sympa du tout.

Après avoir fait de brillantes études, mes deux savantes de filles sont à présent ouvrières du tertiaire. Je n'ai pas vraiment saisi en quoi consistent les métiers qu'elles exercent ; elles ont essayé de me l'expliquer à maintes reprises, mais j'avoue avoir décroché avant de comprendre. Disons qu'il s'agit de ces boulots à la con où l'on s'étiole devant un écran d'ordinateur pour fabriquer des trucs qui n'existent pas vraiment et qui n'apportent aucune valeur ajoutée au monde. Quant à leur carrière professionnelle, elle est à l'image de la chanson d'Orelsan : *Personne n'trouve de travail fixe même avec un bac + 8, mon livreur de pizzas sait réparer des satellites !*

Quoi qu'il en soit je suis fière d'elles et si elles avaient faim, je me couperais les deux bras pour leur servir à manger. Mais ceci étant, soyons sincère, nous n'avons pas grand-chose à nous dire. Je n'en parlerai donc plus si ce n'est pour proclamer haut et fort que je les aime, mes filles. Qu'elles sont magnifiques, honnêtes, et qu'elles ont toujours accepté leur sort sans broncher. Comme cela n'a jamais été mon cas, avec moi se terminera donc la lignée des aventuriers de la famille.

Le commissaire-priseur chez qui toutes mes bagues avaient été dispersées à ma sortie de chez les fous – *vente de l'écrin de Mme P., une collectionneuse exigeante* –, pensant sans doute que j'étais une personne très riche, a continué à m'envoyer pendant des années ses catalogues remplis de bijoux et d'objets magnifiques.

Lorsque tout le monde était couché et que la maison était enfin silencieuse (je dormais sur le clic-clac du salon), je m'installais à mon bureau devant un verre de Guignolet Kirsch. Là, je feuilletais religieusement les luxueuses brochures en lisant chaque commentaire, en regardant chaque photo et je jouais à *imagine que tout brûle et que tu gruges l'assurance pour toucher un gros chèque*. C'est que j'adore les vieilles choses ; elles ont vu passer des tas de gens et on ne s'ennuie jamais à les regarder, contrairement aux neuves.

Ce sont de petits détails comme celui-là qui me font réaliser aujourd'hui que malgré mon abyssale tristesse, j'ai toujours été accessible à des idées positives. Pour être désespérée au point de penser au suicide, il faut une force d'âme que je n'ai jamais eue.

Bref, plus de vingt ans après avoir éparpillé tout ce à quoi je tenais, je suis tombée par hasard sur la photo de *La Petite Collectionneuse de feux d'artifice* évaluée entre dix et quinze mille euros.

Évidemment, j'ai voulu la racheter.

Le jour venu, lorsque je me suis rendue chez Arcurial en bas des Champs-Élysées, je mourais de peur… peur que le tirage ne m'échappe… peur que son prix ne s'envole… peur de tous ces gens bien habillés qui s'amusaient avec leur argent… peur d'être repérée comme une usurpatrice dans mon petit tailleur minable couleur craie avec ma mine à l'avenant.

Je suis restée en retrait jusqu'à ce qu'arrive mon lot. Il s'agissait d'un tirage original en couleur de 50 sur 40 représentant la terrasse du Belvédère. Le mobilier et les matières étaient typiquement seventies : pierre, verre et meubles en bois clair. En fond, on voyait un feu d'artifice en train de débuter car le ciel était d'un bleu profond. Audrey Hepburn portait une robe Givenchy rose magnolia. Son visage était contre le mien et devant nous, au premier plan, trônait ma fraise melba. Tout était exactement à sa place ; la perfection absolue d'un moment figé pour toujours.

– Lot 240, un cliché inédit et unique de Julius Shulmann qui tranche sur ses habituelles villas californiennes… *La Petite Collectionneuse de feux d'artifice*, 1972. Il s'agit d'un tirage original offert à l'actrice et non répertorié au fonds Paul Getty. Tout le monde aura reconnu Audrey Hepburn aux côtés de cette jolie petite blonde aux yeux bleus devant sa belle glace. La mise à prix est à 10 000 euros… 11 000, 11 500, 12 000, 13 000…

J'ai été prise de panique… J'avais envie de hurler… *Arrêtez, cette petite fille à la peau dorée, c'est moi !… Regardez ce que je suis devenue… Laissez-moi au moins ça…*

À 14 500, ça s'est stabilisé… Une fois, deux fois… 15 000 ai-je crié… 15 000 au fond… et la personne qui renchérissait sur moi, un type qui avait l'âge d'être mon fils, a fait signe qu'il abandonnait…

Avec les frais j'en ai eu pour 19 000 euros. Moi la petite traductrice judiciaire, qui me targuais de ne jamais avoir pris un crédit, j'ai craqué pour une photo.

Je suis rentrée chez moi avec mon trésor et je l'ai accroché face à mon bureau. Mes filles n'ont pas du tout compris ce qui m'avait pris d'acheter ce portrait de petite blonde joviale et d'en décorer soudainement notre salon alors que notre appartement, à part sa moquette rose à fleurs orange, avait toujours été sinistre à crever… Et encore, si je leur avais dit que je m'étais endettée sur cinq ans, elles m'auraient prise pour une folle. Pas une seconde elles n'ont fait le rapprochement avec leur mère.

C'est dire si c'est triste.

J'ai commencé mon travail d'interprète dans les tribunaux par les audiences de comparution immédiate.

Vous m'auriez vue à mes débuts, quel cœur je mettais à l'ouvrage. Je me croyais indispensable et traduisais avec enthousiasme, nuance et ton, tout ce que les prévenus voulaient exprimer à leurs juges.

Il faut savoir que beaucoup des Arabes dont je restituais les propos dans ces audiences de voleurs de poules me faisaient une infinie pitié. Des hommes extrêmement pauvres et peu instruits ; de pauvres migrants à la recherche d'un eldorado qui n'existe pas, acculés à des petites magouilles ou à des vols minables pour ne pas crever de faim.

Mais je n'ai pas tardé à comprendre que ma nuance et mon ton, personne n'en avait rien à faire, le traducteur n'étant qu'un outil pour que la répression passe sans traîner. Il n'y a qu'à voir comment les magistrats parlent pendant ces audiences, leur débit ne variant pas d'un iota que le traducteur suive le fil ou non ; que le type dans le box comprenne ou pas.

On me percevait comme un mal rendu nécessaire par les droits de l'homme. Pas plus. À peine m'adressait-on la parole du bout des lèvres : *La traductrice est là ? Oui, bien, alors on peut commencer. Vous êtes prévenu d'avoir à Paris en tout cas depuis temps non prescrit… bla… bla… bla…* et comme ça, sans respirer, pendant dix minutes.

C'était particulièrement pathétique chez mes confrères en langage des signes qui s'agitaient comme des robots déréglés pour traduire un pour cent de ce qu'ils parvenaient à saisir au vol. Mais lorsque l'un d'entre nous avait l'outrecuidance de réclamer une pause pour se faire comprendre du pauvre hère dont il avait la charge et qui pigeait que dalle, le magistrat prenait un air de souffrance et fermait les yeux du style *je fredonne mentalement un petit air de musique en attendant que ça passe*. Évidemment le fâcheux était catalogué comme pinailleur et n'était plus jamais rappelé.

J'ai très vite arrêté de faire des efforts.

Quand je trouvais mon type touchant, il m'arrivait dans le flot de paroles d'un juge de lui dire des choses en arabe comme : *Dis à ces connards ce qu'ils ont envie d'entendre et qu'on en finisse : que t'as volé pour pouvoir prendre ton billet de retour tellement t'as hâte de partir*.

Pour des dossiers plus compliqués avec plusieurs mis-en-examen, lorsque j'avais des écoutes à traduire, il m'arrivait même d'inventer des trucs de toutes pièces pour défendre ceux de la bande que je trouvais les plus pitoyables. Mais je pouvais aussi faire l'inverse et décider de les couler, en particulier lorsqu'il s'agissait de défendre leur pathétique épouse. Des filles naïves qui se faisaient mener par le bout du nez. Multipliant les prostituées ou les maîtresses, leurs salauds de maris dont je partageais sous mon casque l'intimité dégueulasse leur parlaient comme à des chiens et poussaient le cynisme à mettre à leur nom à elles leurs lignes business de téléphone portable, leurs voitures de Go Fast ou leurs propriétés issues du blanchiment d'argent. À celles-là, je racontais ce que j'avais entendu dans mes écoutes. À quel point elles étaient prises pour des connes, afin qu'elles cessent d'aller deux fois par semaine au parloir chargées comme des mules de sacs de linge.

Sinon, j'étais payée au noir par le ministère qui m'employait et ne déclarait aucun impôt.

Un vrai karma, décidément.

C'est d'ailleurs assez effrayant quand on y pense, que les traducteurs sur lesquels repose la sécurité nationale, ceux-là mêmes qui traduisent en direct les complots fomentés par les islamistes de cave et de garage, soient des travailleurs clandestins sans sécu ni retraite. Franchement, comme incorruptibilité on fait mieux, non ?

Enfin, moi qui suis corrompue, je trouve ça carrément flippant.

Au début ça me faisait marrer et puis un jour ça ne m'a plus fait rire du tout.

J'assistais un pauvre Algérien dans une audience d'indemnisation de la détention provisoire. C'est une juridiction civile où l'on débat du montant du dédommagement que l'État doit verser à un innocent pour avoir gâché sa vie. Ce jour-là, ce défilé d'erreurs judiciaires se tenait devant un magistrat particulièrement exécrable qui toisait chaque comparant d'une moue narquoise du genre *Vous, innocent, et puis quoi encore...*

L'Arabe en question, un ouvrier du bâtiment qui avait ravalé la façade d'un immeuble où logeait une cinglée, avait fait deux ans et demi de détention provisoire pour un viol qu'il n'avait pas commis avant d'être acquitté par la cour d'assises après la rétractation de ladite cinglée.

Il m'avait tenu la jambe pendant l'heure qui avait précédé l'audience pour m'expliquer à quel point ce moment comptait pour lui, voyant là enfin une occasion de déballer tout ce qu'il avait sur le cœur : la promiscuité en prison, les brimades que ses codétenus réservaient aux pointeurs comme lui, les deux douches par semaine, sa femme repartie au bled avec ses enfants, sa famille qui ne lui parlait plus, son logement qu'il avait perdu... Il avait tant de choses à dire. Le tribunal aurait pu l'écouter cinq minutes, ne serait-ce que pour s'excuser qu'un juge d'instruction ait foutu sa vie en l'air pour l'avoir maintenu sans preuve en détention durant trente mois. Eh bien non, le président, méprisant, l'a coupé net : *Monsieur, vous travailliez au noir à l'époque. Vous n'avez aucune prétention à réclamer quoi que ce soit. Pour nous, vous n'existez même pas !*

Je ne trouvais plus mes mots en arabe tellement j'avais honte. Je n'arrivais même pas à le regarder en face. J'ai commencé par balbutier et puis c'est sorti tout seul : *Moi aussi, monsieur le Président, je suis payée au noir, et par le ministère de la Justice en plus. Alors, puisque je n'existe pas, débrouillez-vous sans moi !* Et je suis partie, laissant tout en plan.

Malgré mon désenchantement, ma progression professionnelle a été fulgurante. Mes collègues diront que j'ai dû beaucoup coucher pour avoir eu un tel parcours. Ce qui m'est revenu aux oreilles est encore plus vulgaire ; il est question de kilomètres de queues de flics, etc., etc.

Ç'aurait pu être vrai dans la mesure où ce sont eux, les policiers des différents services, qui décident quel interprète sera appelé pour traduire les écoutes ou les gardes à vue des affaires dont ils s'occupent. C'est pour cela que l'on rencontre toutes sortes de gens dans ce métier, car pour être intronisé traducteur il suffit *de prêter serment d'apporter son concours à la justice…* Or il faut savoir que beaucoup d'interprètes français d'origine maghrébine ne connaissent que l'idiome de leurs parents alors qu'il existe dix-sept dialectes arabes aussi éloignés les uns des autres que le français l'est de l'allemand. Ces dialectes, il est impossible de les connaître tous si on n'a pas sérieusement étudié l'arabe à l'université. Autrement dit, les écoutes d'un Syrien ou d'un Libyen traduites par une mannequin marocaine, l'épouse tunisienne d'un flic ou le coach sportif algérien d'un commissaire de police… comment dire… je ne critique pas… je demande juste à voir.

Je pense que je dois mon succès à ma disponibilité, mais surtout à mon nom, Patience Portefeux. En particulier depuis les attentats où chaque Arabe est perçu comme un terroriste potentiel. *Quis custodiet ipsos custodes ?* Qui gardera les gardiens ? Qui y a-t-il pour écouter les traducteurs arabes ? Ah, ah, ah… personne ! Il ne reste qu'à prier pour qu'ils restent sourds aux remarques désobligeantes dont ils sont victimes, eux et leurs enfants… Une société raciste et paranoïaque forcée de faire confiance à ses étrangers, c'est d'un cocasse !

On m'appelait sans arrêt pour me confier du travail et je dois dire que je n'ai jamais décliné la moindre offre en presque vingt-cinq ans, même malade. Du coup, avec le respect suscité par ma fiabilité, on ne me proposait que ce que je préférais, laissant le reste à des traducteurs moins expérimentés.

C'est comme cela que j'ai progressivement fui la traduction des audiences et des gardes à vue pour me concentrer sur les écoutes téléphoniques dans les enquêtes de stups et de grand banditisme. J'échappais ainsi à la société de tous ces types qui me contaient leurs déboires, les menottes aux poignets, moi la première et la seule dans la chaîne répressive à parler leur langue, car contrairement aux paternalistes bourgeois de gauche, je n'ai jamais eu besoin de consacrer du temps aux gentils Arabes pour me sentir exister. Il y a de tout chez eux comme chez tout le monde. Des types respectueux comme des gros porcs. Des gens progressistes comme des blédards archaïques. Des types perdus et isolés aussi bien que des villages entiers qui envoient leurs jeunes pour commettre des délits et ramener de l'argent au pays. De tout.

À un moment je me suis même essayée au terrorisme, mais ça me faisait faire de tels cauchemars que j'ai immédiatement arrêté. Il faut dire qu'avec l'âge on supporte de moins en moins la violence… les tabassages par les flics à dix centimètres de mon nez comme si je n'existais pas… les crachats au visage combinés aux insultes du genre *sale traîtresse* ou *salope de harki*… les arrestations musclées où on me collait en première ligne devant les portes sans gilet pare-balles pour hurler en arabe : *police, ouvrez*…

Tout ça, à un moment, j'en ai eu marre.

Je traduisais des écoutes principalement pour la brigade des stups dans ses locaux du 36 quai des Orfèvres, pour l'OCRTIS – l'Office central de la répression du trafic illicite des stupéfiants de Nanterre – ou pour la 2ᵉ DPJ. Mais au fur et à mesure du progrès en matière numérique et parce que je suis Patience Portefeux, la-Française-qui-parle-arabe, soit une personne au-dessus de tout soupçon, on m'a laissée me replier chez moi pour travailler sur des fichiers audio devant mon ordinateur. Du coup, lorsque ma mère a eu son attaque et que mes filles ont judicieusement fui mon acariâtre personne pour aller vivre en colocation, je me suis claquemurée chez moi comme un hikikomori.

C'est à partir de ce moment-là que je me suis lancée dans les traductions de conversations ineptes de trafiquants de stups au kilomètre… pour payer les 3 200 euros par mois que me coûtait l'EPHAD dans lequel j'avais dû placer ma mère. Car la traduction ça paye quand on travaille comme une brute – 42 euros la première heure, 30 euros ensuite, surtout lorsqu'on calcule le nombre d'heures soi-même, on arrive vite à des sommes rondelettes… Mais qu'est-ce qu'on a la tête farcie… Farcie d'horreurs souvent, car ce sont les interprètes qui filtrent la vilénie humaine avant que les policiers et les juges y soient confrontés.

Je pense notamment à des tortures à mort enregistrées sur téléphone portable que j'ai eu l'occasion d'écouter dans le cadre d'un dossier de règlement de comptes. Est-ce qu'on m'a dépêché à moi, un psychologue pour me dorloter ? Pourtant c'était vraiment affreux.

Asba Patience, fissa la traduction…

Une des multiples raisons qui font que je les emmerde tous.

Je fréquentais surtout des flics dans mon travail. Beaucoup sont comme on les décrit dans les films :

toujours très en colère à force de ne rien pouvoir maîtriser nulle part. Des types à l'hygiène de vie déplorable dont les compagnes sont parties depuis longtemps et dont les soirées, s'ils ne les passent pas à se torcher, se résument à tirer des coups minables avec de tristes bonnes femmes esseulées. Ceux-là je les ai toujours maintenus à distance en me faisant appeler Patience veuve Portefeux comme la loi m'y autorisait. Ça surprend, c'est vrai, mais ça force le respect.

Car je ne suis pas une triste bonne femme esseulée, mais une veuve.

Je devais mes conditions de travail à un flic divorcé, Philippe, qui vivait avec son fils. Je l'ai rencontré à côté de l'Office de répression des stups à Nanterre un jour où on m'avait appelée en renfort. À une caisse de supermarché pour être exacte, alors qu'il achetait des hot-dogs dans des barquettes en plastique. Je ne suis pas du tout le genre de femme qui drague mais ça m'avait fait rire ces saucisses pré-coincées dans leurs petits pains prédécoupés. Je n'ai pas pu m'empêcher de lui faire une remarque du style *excusez-moi, je me suis toujours demandé qui pouvait bien acheter ces trucs ?… Un flic seul*, m'a-t-il répondu en souriant, et on a sympathisé… puis on a couché ensemble.

Ce n'est pas grâce à lui qu'on me sollicitait sans cesse, mais je lui devais le fait d'être payée à l'heure et de pouvoir traduire de chez moi en toute confiance.

Il ne m'a donné que de bonnes choses. Je me suis très mal conduite envers lui, mais il faut dire que son honnêteté à toute épreuve en faisait un sacré boulet.

2

Dites, qu'avez-vous vu ?

– Communication n° 1387 : Haribo prévient Cortex qu'il doit appeler Juju parce qu'il ne répond pas. – Communication n° 1488 : Cortex demande à Juju de monter la quetru. – Communication n° 1519 : Juju n'a plus de chocolat mais il a du vert. – Communication n° 1520 : Juju à besoin que Cortex lui ramène deux de douze et une salade. – Communication n° 1637 : Haribo commande mille euros de jaune et lui envoie un petit dans la demi-heure. – Communication n° 1692 : Haribo est place Gambetta, le petit n'est pas là. – Communication n° 1732 : Gnocchi lui demande dix disques. Cortex lui dit que, dans une demi-heure, il le retrouvera à la chicha le Balboa…

Je traduisais ça à l'infini… encore et encore… Tel un cafard bousier. Oui, ce petit insecte robuste de couleur noire qui se sert de ses pattes antérieures pour façonner des boules de merde qu'il déplace en les faisant rouler sur le sol… Eh bien son quotidien minuscule est à peu près aussi passionnant que ce qu'a été le mien pendant presque vingt-cinq ans : il pousse sa boule de merde, la perd, la rattrape, se fait écraser par son fardeau, n'abandonne jamais quels que soient les obstacles et les péripéties rencontrés…

Voilà ce qu'a été ma vie professionnelle… et ma vie tout court d'ailleurs puisque j'ai passé mon temps à bosser.

Lorsqu'il m'arrivait (très rarement) de parler de mon métier dans les dîners en ville, les gens étaient unanimement fascinés par ce que je pouvais bien entendre dans ces conversations. Un peu comme dans le poème *Le Voyage* de Baudelaire :

> *(...)*
> *Montrez-nous les écrins de vos riches mémoires,*
> *Ces bijoux merveilleux faits d'astres et d'éthers.*
>
> *Nous voulons voyager sans vapeur et sans voile !*
> *Faites, pour égayer l'ennui de vos prisons,*
> *Passer sur nos esprits, tendus comme une toile,*
> *Vos souvenirs avec leurs cadres d'horizons.*
>
> *Dites, qu'avez-vous vu ?*

Rien ! Je n'ai rien vu, parce que… eh bien, parce qu'il n'y a vraiment rien à voir.

Au début, j'écoutais cette mélasse avec un intérêt de naturaliste en quête d'un quelconque sens qui aurait pu rejaillir sur ma vie, mais il n'y a rien d'autre là-dedans que ce qu'on pourrait entendre dans une boulangerie : *Qu'est-ce que je vous sers ? Avec ceci ? Ce sera tout ?*

C'est que je pourrais écrire une thèse sur les trafiquants de stupéfiants tant j'en ai écouté et tellement je les connais bien. Leur petite vie est à l'image de celle de n'importe quel cadre de la Défense : totalement dépourvue d'intérêt.

Ils ont en général deux lignes de téléphone : la *business* qui change sans arrêt de numéro et la *hallal*, plus pérenne, consacrée à leur vie privée. Le truc est qu'ils parlent aux mêmes personnes avec les deux et que souvent ils se trompent de mobile : *Ouais, frère, salam aleikoum, apporte-moi 10 à la chicha...* L'interlocuteur raccroche sans dire un mot. Deux, trois essais suivent mais l'interlocuteur ne décroche plus. Message : *Eh mec, ça se fait pas de pas décrocher...* juron... *euh, je te rappelle sur l'autre.* Et du coup la ligne hallal est grillée. On remonte alors très vite sur le nom de son titulaire par le biais des appels de papa, maman, des frères et des sœurs qui eux n'affublent pas leurs interlocuteurs de ces surnoms crétins qu'ils se donnent pour ne pas qu'on les reconnaisse.

Même ceux qui sont très méfiants, qui ne se parlent que par WhatsApp, Telegram ou Blackberry PGP, à un moment, parce qu'ils ont besoin de pousser un coup de gueule, ne peuvent s'empêcher de prendre leur téléphone sur leur ligne classique et se trahissent comme les cons qu'ils sont.

En semaine, leurs journées commencent vers quatorze heures et se terminent à trois heures du matin. Elles se résument à des va-et-vient en scooter ou en Smart entre leur point de réapprovisionnement et de deal et leur bureau sis au kebab du coin ou à la salle de sport.

Si j'avais à les filmer dans leurs activités, je mettrais en fond sonore *What a wonderful world* de Louis Armstrong.

Toutes leurs conversations tournent autour de l'argent : celui qu'on leur doit, celui qu'ils auraient dû toucher, celui qu'ils rêvent d'avoir... Cet argent, ils le claquent le week-end en boîte de nuit – les mêmes que les cadres de la Défense... qui sont aussi leurs clients – sauf que eux, la bouteille de champagne à mille euros, lorsqu'elle arrive sur leur table, ils la vident en la retournant dans son seau car ils ne boivent pas d'alcool. Souvent, à la sortie de boîte, ils se battent et sont systématiquement arrêtés et condamnés sans que l'on cherche même à savoir si ce sont eux ou les cadres de la Défense qui ont commencé.

Leur hiver, ils le passent comme leurs clients en Thaïlande, notamment à Phuket mais dans un autre quartier : à Patong, rebaptisé *Les 4 000* du nom de la cité de la Courneuve en Seine-Saint-Denis. Les Thaïlandais les appellent les *french arabics*.

Là-bas, c'est vacances, ils ne dealent pas parce que le simple usage de stups y est puni de vingt ans. L'été, ils se tapent le bled avec la famille. Là non plus, ils ne dealent pas, pour les mêmes raisons.

Leurs films préférés sont *Fast and Furious 1, 2, 3... 8* et *Scarface*. Ils sont tous sur les réseaux sociaux – libres ou en taule, c'est selon – où ils s'affichent comme travaillant chez Louis Vuitton et fréquentant Harvard University. Ils y échangent de grandes vérités où l'islam sunnite (la partie qui a trait à la polygamie, principalement) se mêle aux répliques cultes de Tony Montana et aux textes des rappeurs qui dépassent les cinq cents millions de vues sur YouTube.

Ils sont en matière d'introspection comme tous les commerçants du monde... d'une pauvreté crasse.

... and I think to myself what a wonderful world...

Je sais, ça n'en a pas l'air, mais j'ai pour certains d'entre eux comme de l'affection car ils me rappellent l'anarchisme de droite pratiqué par mon père et ils parlent comme lui la langue universelle : *l'argent*.

Ça faisait donc un certain temps que je travaillais pour la brigade des stupéfiants à traduire des écoutes de *french arabics* émaillant leur discours de phrases en très mauvais arabe tout en s'imaginant qu'il n'y aurait personne pour les comprendre.

En général je traite quatre à cinq dossiers en même temps. Ces derniers sont souvent le fruit d'une dénonciation d'un rival qui veut installer son propre business ou d'un citoyen fatigué par la circulation des dealers en bas de chez lui.

Parmi ces dossiers, il s'en trouvait un qui me donnait beaucoup plus de travail que les autres en ce que les protagonistes, des Marocains d'origine, ne parlaient qu'en arabe. Il me fallait donc traduire l'intégralité des écoutes et pas seulement quelques phrases par-ci par-là comme c'était généralement le cas.

Il s'agissait là d'un trafic de shit qui fonctionnait en circuit court, du petit producteur au consommateur, bien loin des Go Fast et de leur décorum. Des trafiquants totalement hors du milieu truand habituel, dénoncés non pas par un concurrent mais par un voisin au bled à cause d'une sombre histoire de source d'eau – en mode Jean de Florette, comme diraient les jeunes.

Le producteur, Mohamed Benabdelaziz, vivait à Oued Laou, un petit village marocain occupant une position stratégique au bord de la mer, au pied du Rif et de ses cultures de cannabis, à quarante kilomètres de l'enclave espagnole de Ceuta. Sur une petite parcelle d'à peine six hectares, il faisait pousser de la khardala, une variété d'herbe à haut rendement – des plantes courtaudes, lourdes et pleines de fleurs, très riches en THC, qu'il récoltait lui-même et, ce qui est plus rare, dont il extrayait lui-même la résine et qu'il pressait lui-même. Une fois la drogue parvenue en Espagne, l'intégralité de sa créance de cannabis lui était réglée au Maroc par le biais de l'escompte via un *saraf* – un banquier en arabe. Le saraf payait d'avance Mohamed puis prenait en main le recouvrement auprès des grossistes français grâce à des collecteurs d'argent aussi discrets que respectés. Ces derniers travaillaient pour plusieurs trafiquants de drogue mais également pour des commerçants qui n'avaient rien à voir avec ce monde-là. Une fois l'argent récupéré, celui-ci servait à acheter du matériel électroménager ou des voitures qui étaient réimportés au pays, détournant ainsi le contrôle des changes ultrastrict pratiqué par le Maroc pour protéger son économie.

Tout ça fonctionnait dans un milieu fermé exclusivement marocain où tout le monde se connaissait à la fois en France et au bled. Un circuit court de vente et de blanchiment donc, totalement calqué sur l'économie réelle. Du producteur au consommateur, comme les paniers de légumes bios pour bobos.

Mohamed Benabdelaziz, le producteur, faisait transporter sa drogue par son neveu, un Français de vingt-quatre ans originaire de Vitry en banlieue parisienne.

Quand j'ai commencé à écouter cette famille, la drogue était chargée dans un camion transportant des légumes. Celui-ci passait la frontière de Ceuta grâce à la complicité d'un cousin douanier, puis remontait à travers l'Espagne vers la France, jusqu'en banlieue où l'attendaient les grossistes qui se chargeaient avec leurs équipes de sa vente sur Paris (ligne biz).

J'avais, je l'avoue, pris tous ces jeunes en sympathie car ils n'avaient pas du tout le profil habituel de la petite racaille immature et sociopathe à laquelle je m'étais habituée.

En particulier Afid, le neveu du producteur rifain, qui était sérieux, respectueux et travailleur. Autre fait notable : il parlait un arabe correct lorsqu'il s'adressait à ses grossistes, en l'occurrence ses copains d'enfance, bien que ces derniers ne comprennent pas toujours tout (ligne biz).

Sa mère vivait en France. Elle était séparée de son mari, un Algérien qui était reparti au bled épouser une femme plus jeune (ligne hallal).

Compte tenu des informations que j'avais glanées au fil des conversations, j'avais compris que si Afid s'exprimait en arabe alors que sa langue était le français, c'était pour montrer à sa façon que le pays où il avait grandi l'avait déçu. Son rêve avait été de monter un garage de voitures de luxe sur la Côte d'Azur. Il s'était conformé à tout ce que la société attendait de lui : ne pas traîner, se tenir à carreau, s'appliquer à l'école puisqu'il avait eu son BTS conception et réalisation de carrosseries avec une mention très bien. Malgré tous ses efforts, à la sortie des études, il avait pris en pleine face le Grand Mensonge français. La méritocratie scolaire – opium du peuple dans un pays où on n'embauche plus personne, encore moins un Arabe – ne lui apporterait pas les moyens de financer ses rêves. Alors, au lieu de rester à bovaryser avec ses copains en bas de sa barre d'immeuble ou de fournir Daech en chair à canon, il était parti vivre dans le pays de ses parents avec son BTS en poche et l'idée d'en repartir au plus vite…

Et puisque son oncle Mohamed produisait des briques de résine de cannabis, il s'était retrouvé à mettre son expertise en carrosserie au service de la fabrication d'indécelables doubles fonds pour les camions qui remontaient la drogue familiale (ligne biz de l'oncle aussi sur écoute).

Ce fameux garage dont il rêvait, lorsqu'il aurait mis suffisamment d'argent de côté, c'est à Dubai qu'il l'ouvrirait.

Je trouvais que les Benabdelaziz étaient des gens sympathiques et pleins d'entrain chez qui on ressentait un amour de la vie fort et tenace. Un sentiment qui me faisait totalement défaut à l'époque, en particulier en raison de l'hospitalisation de ma mère, période durant laquelle je ne faisais que travailler pour payer son EPHAD, pleurer et dormir. Chausser un casque et les écouter raconter leurs histoires, c'était pour moi une façon de quitter mon appartement triste ou le bureau encore plus triste de la brigade des stups afin de vivre leur vie par procuration, et ça me faisait du bien.

Je ne traduisais jamais leurs appels privés. Je marquais toujours *sans intérêt pour l'enquête en cours*, ce qui ne m'empêchait pas de suivre leurs pérégrinations pour le plaisir, comme si je prenais quotidiennement des nouvelles d'une branche éloignée de ma famille.

Parfois même, j'allais sur Google View ; je poussais ma petite flèche sur la longue route rose qui longeait la mer bleue avec en fond sonore une chanson de Tinariwen. Je m'imaginais ainsi marcher derrière Afid à Oued Laou, le vent du large dans les cheveux.

3

À la Juive intrépide,
rien d'impossible

Lorsque je n'étais pas en train de suivre le feuilleton des péripéties de ma nouvelle famille marocaine, histoire de me détendre donc, j'allais visiter ma mère dans son mouroir.

Franchir la porte automatique de cet établissement poétiquement nommé *Les Éoliades*, c'était comme passer une frontière entre la vie et un univers où le jaune des murs me sautait aux narines avec son odeur de soupe de légumes, de détergent industriel et d'alèse sale. M'accueillaient là, parqués dans le hall en attendant qu'on les pousse dans la salle à manger, une centaine de vieillards hagards, dodelinant de la tête comme pour dire *non* à la mort.

La directrice les nomme « les résidents », jouant avec un certain humour sur l'incertitude orthographique de ce mot. « Résident » avec un « *e* » comme citoyen d'une résidence et non un « *a* » comme des personnes qui habitent quelque part… et qui peuvent ainsi en repartir quand elles le veulent.

Au milieu de cette humanité défaite, je retrouvais ma mère sanglée dans une espèce de nacelle-coquille, fixant le plafond de ses yeux aveugles écarquillés comme des soucoupes, attendant que les cieux s'entrouvrent comme les portes d'un magasin le premier jour des soldes.

Une fois entrée, je la montais dans sa chambre. Là, je lui administrais avec une impatience palpable sa bouillie spéciale déglutition pour hémiplégiques lourds. Je lui enfilais ensuite sa grenouillère taille adulte – *on ne dit pas grenouillère, madame, c'est infantilisant, mais combinaison de nuit* – achetée par paquet de dix sur Internet… C'est pour éviter que les grabataires ne fourragent dans leurs couches – *on ne dit pas couche non plus, madame, mais protection, en rapport avec le désagrément physique lié à la dépendance ; les couches c'est pour les bébés…* –, puis j'attendais tout en écoutant ses élucubrations que les femmes de service la mettent de la nacelle au lit.

Lorsqu'on la désencoquillait avec un treuil de ce truc en plastique blanc et qu'on la posait sur ses draps, elle avait l'air si vulnérable, recroquevillée dans son vêtement en pilou, que c'en était carrément dérangeant à voir.

Elle qui avait été si élégante dans ses robes en mousseline lilas avait à présent les dents sales, la bouche pâteuse de médicaments, les cheveux entièrement gris et le visage couvert de poils disgracieux.

Je n'avais jamais eu des relations simples avec ma mère. Je ne l'avais par exemple jamais représentée sur mes dessins d'enfant avec une jupe en triangle, de gros yeux rieurs et un sourire en forme de banane. Non, non… je l'ai toujours dessinée comme une grosse araignée hirsute avec deux pattes plus grandes pour faire les jambes. Les mères au sourire-banane, c'est ce que j'appelais les *mamandannes*. Elles savaient tout faire, les *mamandannes* : des fleurs en papier crépon, des costumes de théâtre, des gâteaux au glaçage rose et aux formes tarabiscotées. Elles accompagnaient les enfants aux sorties scolaires et portaient sans se plaindre une montagne de manteaux dans les queues. Dès que l'on posait une question à propos d'une initiative qui avait du panache, une crèche en boîtes d'œuf, une chasse au trésor, un lustre en pots de yaourt... la réponse était invariablement la même : *c'est la maman d'Anne qui l'a fait.*

Très très loin du quatre-quarts industriel jaunasse que j'apportais, penaude, à chaque fête.

Non... avec son don pour ne pas en glander une, tout en paraissant toujours débordée, ma mère n'était pas du tout une *mamandanne*. Elle ne savait pas faire cuire un œuf, vivait dans le bordel et considérait que l'école, eh ben, *c'est ennuyeux comme y a pas, heureusement que pour moi il y a eu l'Anschluss sinon mes parents auraient fini par découvrir que je n'y avais pas foutu les pieds depuis six mois.*

Quant aux enfants, elle m'avait eue moi sans jamais me cacher qu'elle m'avait conçue uniquement pour donner un fils à mon père. S'il l'avait larguée compte tenu de LA déception, je pense qu'elle m'aurait fait adopter recta.

Pour autant, elle n'était ni folle ni blasée, et aucun de ses espoirs n'avait jamais été déçu vu qu'elle n'attendait absolument rien de la vie. Jeune, elle avait juste espéré qu'on ne la tue pas. Une fois par semaine ceux de son camp étaient rassemblés pour monter dans un train. Une fois par semaine elle se plaçait avec sa mère dans un cercle marqué de la lettre de son nom de famille, Z. Mais arrivé à O, P, parfois U, il n'y avait plus de place dans les wagons et les deux femmes retournaient dans leur baraquement en briques après quelques heures d'attente au milieu des hurlements de terreur, des séparations familiales et des exécutions sommaires. Cette épreuve surmontée, elle avait décidé que le monde se débrouillerait sans elle… le monde, le ménage, son mari, son enfant… tout ! Tout lui glisserait à jamais dessus. Tel un petit satellite déréglé, elle aborderait les grands événements de la vie pour tourner autour et s'en éloigner au plus vite jusqu'à ne plus se sentir concernée du tout.

De toute son existence, elle n'acheta pas le moindre objet personnel ; que des fringues, du parfum et du maquillage. Le matin elle passait des heures à se pomponner et à s'examiner gravement dans la glace, puis elle allait s'installer en robe à volants telle une erreur absolue de casting au milieu de l'ameublement de style médiéval pour lequel mon père avait opté (*plus c'est ancien, plus on conjure la faute de goût…*).

Là, elle fumait des Gallia tout en lisant des romans, déclinaison à l'infini de la même histoire : une Juive partie d'Autriche, de Pologne, de Russie… débarque sans chaussures, au pied de la statue de la Liberté à Ellis Island et devient grâce à la ruse, à son cul, à la chance… une éditrice célèbre, une modiste réputée, une avocate crainte… La Juive bulldozer écrase tout sur son passage, en particulier les hommes. Ses enfants la haïssent. Elle meurt seule, mais enviée et très riche.

… Et ma mère assise sur un prie-Dieu monté en chaise, éclairée par un heaume monté en lampe, allumait nerveusement ses Gallia au rythme des pérégrinations de la Juive en entrecoupant sa lecture de petites exclamations intraduisibles en français.

En la couvant des yeux avec fierté, mon père, qu'au passage toutes les prostituées du quartier de la Madeleine appelaient par son prénom, disait d'elle qu'elle était comme une œuvre d'art : très belle, mais d'une valeur d'usage absolument nulle.

Était-ce pour lui qu'elle passait autant de temps à se préparer le matin ? Elle le prétendait, mais c'était un mensonge parce qu'il était presque toujours en voyage pour son travail. Non, la vraie vérité… c'est qu'elle n'aimait personne.

Si ma mère endossait des vêtements en soie colorée et des existences d'intrépides Juives, c'était pour se rendre chaque matin sur le pont d'un bateau de croisière imaginaire à destination du paradis où elle aurait voulu émigrer après la guerre – Miami Beach, la cité aux couleurs pastel et aux immeubles aux formes de cassates italiennes ; la ville où les ashkénazes dansent jour et nuit sur du Paul Anka.

Comme ça ne s'est pas fait, elle étouffait son désir dans l'uniformité de ses journées, attendant patiemment les vacances tout en lisant ses romans et en fumant des Gallia.

Vers la fin, avant son AVC, elle occupait son temps à me taper de l'argent pour acheter des vêtements au Printemps ou aux Galeries Lafayette et les rendre le lendemain avec la complicité bienveillante des vendeuses. *Mademoiselle, je le garde sur moi*, disait-elle, royale, après avoir effectué l'échange, puis elle descendait se faire parfumer au rez-de-chaussée pour terminer sa journée au Café de la Paix en mangeant d'énormes gâteaux avec sa serviette déployée sur tout le corps pour ne pas se salir.

Lorsque a commencé sa lente agonie en EPAHD, j'ai débarrassé la dernière mansarde où elle avait vécu. Outre quelques meubles moches et sans valeur et de la vaisselle ébréchée, j'ai trouvé un carton entier de rouges à lèvres et de vernis à ongles orange et une bibliothèque impressionnante d'histoires d'intrépides Juives.

Ce qui restait de son cerveau après son attaque ne restituait plus que des reproches complètement incohérents à mon endroit. Il s'agissait des millions d'euros que je lui volais, de son important patrimoine immobilier que je laissais pourrir sur pied et de son cher Schnookie, un fox-terrier imaginaire que je maltraitais.

Des reproches, cela faisait depuis ma naissance que j'en essuyais, mais depuis une décennie ça avait empiré. Un matin, après avoir dépensé jusqu'au dernier centime du gros magot que mon père lui avait laissé, les filles devaient avoir seize, dix-sept ans, elle m'a téléphoné et, sur le ton à la fois surpris et légèrement exaspéré d'une princesse qui trouve que le service n'est pas à la hauteur, elle m'a déclaré : *Patience, il n'y a plus d'argent au coffre…* comme elle m'aurait dit en tournant un robinet : *Patience, il n'y a plus d'eau…* Et c'était vrai, il ne restait là-bas à la banque que des objets qu'elle considérait comme précieux : un exemplaire de son rouge à lèvres préféré pour le numéro de la couleur, son certificat de judéité, les multiples faux papiers de mon père, une pièce en métal qu'il-ne-faut-pas-perdre-car-elle-est-très-importante mais dont plus personne ne sait à quoi elle sert, les colliers de chacun de ses chiens morts… mais plus une trace du trésor en pièces d'or que son mari prévoyant lui avait laissé après sa mort.

En employant le pronom impersonnel « il », comme dans *il n'y a plus d'argent,* elle me décrivait un phénomène de plomberie regrettable dans lequel aucune personne agissante n'était impliquée – surtout pas elle. Aucune accusation particulière, aucune animosité. Juste : *il n'y a plus d'argent*... puis elle s'est naturellement tournée vers moi pour vivre à mes crochets sans même s'imaginer une seconde que cela puisse m'angoisser ou que je doive trimer pour en gagner, de l'argent, moi. Pire, elle m'a secrètement maudite de la préserver de la misère car, en devenant pauvre, elle est du même coup devenue archi chiante, me réclamant sans arrêt des sommes au centime près, du genre *j'ai besoin de 223 euros 90*, et si j'osais faire l'appoint, elle montait sur ses grands chevaux en m'accusant d'être une radine ou de la prendre pour une mendiante.

À chaque fois, je sortais de ces visites au mouroir complètement essorée.

Pour attendre l'ascenseur, le temps que l'on remonte tous les vieillards dans leur chambre, je me laissais tomber sur une petite méridienne et m'abandonnais à la tristesse de la situation, de ma vie, de la vie en général, qui me dégringolait dessus comme un câble rompu largue sa charge.

Me sentant déraisonnablement maudite pour une personne vivante, je pleurais, pleurais d'impuissance... encore et encore... et cette incontinence émotionnelle me mettait à chaque fois dans l'embarras face au personnel qui se sentait obligé de me consoler – même si je dois reconnaître qu'un sentiment tel que la honte est à la limite du déplacé dans un EPHAD.

Une chanson juive, confinant au ridicule tellement elle est juive, illustre très bien l'état d'esprit dans lequel je me trouvais :

Wejn nischt, wejn nischt
schpor dir trern chotsch dich kwelt,
wajl dos leben hot nor tsores
oj wi schlecht, wen trern felt.

Pleure pas, garde tes larmes, n'épuise pas tes réserves,
la vie est une telle galère que tu risques d'en manquer
pour ce qui te reste à subir…

Et c'est là, précisément sur cette méridienne, qu'a
commencé mon aventure…

Une Alzheimer, Mme Léger, convaincue de se rendre
à son travail de chef d'atelier chez Balmain, passait et
repassait devant moi en trottinant. Au début, je croyais
qu'il s'agissait d'une personne venue visiter un proche,
tant elle était tirée à quatre épingles. En fait, cette dame
si élégante avec son sac à main en bandoulière et ses
talons hauts était ce que l'on nomme *un résident errant*.
Un patient en perpétuel mouvement enfermé dans son
obsession d'aller quelque part. Compte tenu de la topo-
graphie des lieux, un couloir circulaire, cette pauvre
femme tournait comme un poisson rouge dans son bocal,
effaçant sa mémoire à chaque révolution.

Elle devait me prendre pour l'une de ses petites mains
en train de se la couler douce parce qu'à chaque passage, persuadée de m'avoir débusquée pour la première
fois, elle m'adressait une réflexion désagréable avant de
repartir pour un tour. *Ma fille, cessez de pleurer. Vous*
avez deux mains gauches, vous n'êtes pas faite pour la
couture voilà tout… Retournez travailler au lieu de vous
exposer comme une prostituée ! Un tour et hop… *Vous*
croyez quoi ? Qu'on va continuer à vous payer vos éter-
nelles pauses cigarette… Remettez-vous à l'ouvrage…
En général, au troisième tour j'arrêtais de pleurer et au
cinquième je me marrais franchement, ce qui donnait

lieu à des menaces de licenciement pour insubordination de la part de ma chef d'atelier Alzheimer.

Je m'entendais bien avec ses deux enfants qui galéraient comme moi pour payer les frais de séjour dans cet endroit maudit. Les pauvres, ils n'y avaient pas un, mais deux parents hospitalisés. Une mère démente et un père grabataire – coût de l'opération : plus de 6 500 euros par mois dans cet établissement du XXe arrondissement qui n'avait vraiment rien de luxueux.

Les aides-soignantes, lorsqu'elles avaient mis tout l'étage à dormir, capturaient la marcheuse pour la déshabiller et la coucher de force. Ligotée à son lit, elle criait, appelait au secours, hurlait à la séquestration… C'est ce moment particulièrement horrible que je choisissais pour déguerpir.

Mais un jour d'avril, Mme Léger s'est échappée.

C'est moi qui m'en suis rendu compte. J'ai demandé entre deux sanglots à une femme de service s'il lui était arrivé quelque chose, vu qu'on me laissait glander en toute impunité sur ma méridienne.

C'est vrai, ça, elle est où encore, Mme Léger ? m'a répondu une gentille dame africaine avec son accent ivoirien à couper au couteau. Elle a donné immédiatement l'alerte et tout le personnel est parti à sa recherche. Chaque chambre et toutes les parties communes ont été méthodiquement fouillées, en vain. Plus de Mme Léger. Elle s'était fait la malle en arrachant son bracelet antifugue comme le raptor de *Jurassic Park*.

On décrit le cerveau d'un Alzheimer comme un oignon qui pourrirait couche après couche, de l'extérieur vers l'intérieur. *L'envie de liberté est planquée au centre du trognon*, m'étais-je dit en traversant le ramdam provoqué par sa disparition.

… Et le lendemain, en écoutant la conversation de la mère d'Afid avec son fils sur la ligne hallal, j'ai entendu de sa bouche exactement la même histoire.

Je savais qu'elle était aide-soignante dans un EPHAD à Paris, mais j'étais à cent lieues d'imaginer que le sort l'avait placée aux *Éoliades*, au chevet de ma propre mère.

J'ai mis une bonne semaine à la repérer vu que dans les mouroirs, c'est comme dans les hôpitaux ou les crèches : il n'y a pratiquement que des Noires et des Arabes qui y travaillent. *Racistes de tout bord, sachez que la première et la dernière personne qui vous nourrira à la cuillère et qui lavera vos parties intimes est une femme que vous méprisez !*

Je l'ai reconnue au fait qu'à 18 h 55, toutes affaires cessantes, elle s'isolait dans le local technique pour prendre l'appel de son fils – appel dont je recevais le fichier horodaté le jour suivant.

Elle ne pouvait qu'être au courant de son business. Pourtant, à écouter tous les soirs sous mon casque leurs candides bavardages, on pouvait vraiment se demander si quelqu'un dans cette famille savait que le trafic de drogue était une activité illicite et sévèrement réprimée en France.

Cette femme je la connaissais de vue, sans l'avoir vraiment remarquée, pour être de celles qui me tendaient de temps à autre un plateau de gâteaux orientaux lorsque je pleurais sur ma méridienne. Comme elle était de l'équipe de jour et que moi, je venais surtout le soir, je ne lui avais jamais vraiment adressé la parole – bonjour, au revoir, comme à toutes ses collègues. Il faut dire que lorsqu'on se trouve dans ce genre d'endroit, le nez dans sa propre finitude, on n'a pas vraiment envie de faire la conversation. De quoi parlerait-on, de toute façon ? À part le pipi-caca et la mort, je ne vois pas ! À moins d'être un total détraqué, on pénètre dans un EPHAD avec l'obsession d'en ressortir au plus vite.

C'était une dame un peu plus âgée que moi, d'origine marocaine, très souriante et qui portait le foulard – au passage très bien toléré lorsque les musulmanes se bornent à faire le ménage et à torcher les vieux.

Par curiosité, j'ai avancé un peu mes horaires de visite et je me suis mise à la regarder d'un autre œil.

Khadidja, car tel était son nom, est venue d'elle-même me parler alors que j'essayais de faire ingurgiter à ma mère un truc couleur méduse. Ça faisait à peine cinq minutes que j'y étais et j'avais déjà envie de lui écraser le pot sur la figure.

Elle m'a retiré avec douceur la cuillère des mains :

– Si votre maman ne veut pas manger, c'est parce qu'elle sent que vous êtes toute crispée. Vous avez les dents tellement serrées quand vous approchez la cuillère qu'elles vont finir par se casser. Les vieux, c'est comme les bêtes, ça sent tout.

Ma mère venait confirmer son analyse en me toisant telle une vieille tortue hostile du fond de sa nacelle-carapace.

– Regardez-la, elle refuse obstinément d'ouvrir la bouche !

– Caressez-la en même temps que vous lui donnez à manger et vous verrez, elle se détendra.

Et elle s'exécuta en passant sa main sur son bras flétri et couvert de taches brunes.

– Je ne peux pas faire un truc pareil ! ai-je fait, pétrifiée de dégoût.

– C'est pas grave, on est là pour ça !

– Personne ne devrait avoir à vivre une situation pareille ; ni elle ni moi. C'est horrible de finir comme ça !

– Mais vous savez, quand vous n'êtes pas là, elle n'est pas emmerdante comme ça, votre maman. Elle est plutôt gaie. Hein, ma princesse ?

Et elle a embrassé ma mère qui avait déjà complètement oublié ma présence et qui roucoulait en yiddish, son visage à moitié paralysé :

– *Ikh bin a printsesin !*

– Elle nous raconte beaucoup d'histoires. Elle nous parle des réceptions magnifiques quand votre père était ambassadeur à Miami. Des invités, du champagne, des belles robes, des palmiers… tout ça… ça nous fait rêver un peu… ça nous change.

L'ironie suffocante de la situation m'a remonté le moral.

J'ai souri :

– Les câlins, on ne sait pas trop faire dans la famille.

– Mais je sais à ce qu'elle me raconte de votre vie, de vos filles, tout ça, qu'elle a toujours été là, avec vous.

– Oui, ça je ne peux pas le nier : elle a toujours été très là… à sa façon, dirons-nous.

– Vous êtes toutes les deux en colère par rapport à ce qui est en train de se passer et c'est normal. Votre maman sent qu'elle glisse, du coup elle se raccroche à tout ce qu'elle peut, y compris à vous, ce qui fait qu'elle est insupportable. Elle a peur de la vie qui finit et vous aussi vous avez peur. C'est un moment difficile qui se passe toujours très mal. C'est pour ça qu'on est là, pour que ça soit moins dur pour les familles et si vous me permettez : ça ne sert à rien de venir tous les jours. Vous ne supportez plus et après vous n'aurez plus que des mauvais souvenirs d'elle. On s'en occupe bien de votre maman, et s'il y a un problème, on vous appelle. Allez, rentrez chez vous.

Ce soir-là, je n'ai pas pleuré sur ma méridienne. J'ai même invité mes deux filles à dîner et leur ai fait ce que ma mère appelait sa spécialité culinaire : *Les filles, avec cette recette, vous serez au top en toute circonstance.*

La salade Miami.
Une boîte de cœurs de palmier, une de maïs et une de rondelles d'ananas.
Un avocat.
Couper en dés.
Mettre le tout dans un saladier.
Rajouter des crevettes congelées décortiquées.
Pour la sauce cocktail : mélanger du ketchup Heinz et de la mayonnaise Amora jusqu'à obtenir un truc rose saumon.

Il serait exagéré de dire que nous avons sympathisé ce jour-là, Khadidja et moi, mais elle était d'une telle gentillesse, d'une telle patience envers les vieux et leur famille, qu'elle m'a permis de surmonter ma mauvaise conscience de n'arriver à rien. J'ai suivi ses conseils et espacé mes visites.

Mais vers la fin juin les choses se sont compliquées.

Ça faisait déjà deux mois que je restais assez floue dans mes traductions sur les quantités importées par son fils Afid.

Dans les premières écoutes, il remontait dans son petit camion à légumes, telle une discrète fourmi, 50 kilos par voyage, puis 60 puis 70… À un moment, je me suis arrêtée de traduire, passant cette précision sous silence en marquant *inaudible* dans mes rapports, les très rares fois où la quantité était évoquée. En avril, on parlait de 250 kilos et, en mai, on avait acheté un camion plus grand.

Moi, on ne me donnait que les conversations qui contenaient de l'arabe à traduire, mais je savais que de leur côté les policiers de la brigade des stups écoutaient les grossistes qui parlaient entre eux et avec leurs clients en français. Les copains d'Afid étaient tous très méfiants et se bornaient à annoncer par SMS *des arrivages de fraîche*, sans plus. Je suppose qu'eux-mêmes ne connaissaient pas précisément les quantités remontées avant que la drogue ne leur soit livrée.

La famille Benabdelaziz, fin avril, avait investi dans un Crompton d'occasion, un bateau à moteur semi-rigide à fond plat, pour passer la frontière espagnole par la mer, le nouveau camion étant parqué définitivement à Ceuta.

Je n'ai pas passé ce détail sous silence dans mes comptes rendus d'écoutes car tout le monde au Maroc comme en France ne parlait que de cette acquisition et des balades en mer qu'ils pourraient tous aller faire l'été – *comme des oufs*, qu'ils disaient –, même si Afid calmait les ardeurs de chacun en précisant qu'il s'agissait d'un outil de travail.

En juillet, Afid projetait un passage non plus seul mais accompagné d'un employé de son oncle. Sur la plage de Calamocarro à Ceuta devait l'attendre une équipe spécialisée dans le déchargement de stups, les *aquadores*, dont le travail consistait à sécuriser le lieu de débarquement et à exfiltrer la drogue le plus efficacement possible vers le camion au double fond.

Les stups supposaient que les quantités importées devaient être beaucoup plus importantes que d'habitude pour que les Benabdelaziz aient besoin de tous ces renforts.

Par curiosité j'avais regardé sur YouTube comment s'effectuaient ces débarquements. On y voyait ces plagistes d'un nouveau genre exfiltrer les cargaisons en plein jour et en toute impunité au milieu des baigneurs qui filmaient avec leur portable.

Une fois la drogue dans le camion, les deux hommes comptaient la remonter non pas à l'aide d'autres voitures en convoi de Go Fast mais seuls, discrètement, à une allure pépère dans leur transport de légumes jusqu'à un entrepôt situé du côté de Vitry où les attendaient, en plus des trois copains habituels, deux autres grossistes avec leur véhicule. Au retour, Afid projetait de ramener le camion et de descendre sa mère et sa sœur au bled pour les vacances d'été.

Les policiers, sentant la grosse prise, s'étaient décidés pour une arrestation en flagrant délit, histoire, comme ils disaient, d'écraser les fourmis shiteuses à coups de tatane avant de partir en vacances au soleil.

M'est alors apparue l'absurdité totale de ma situation : je falsifiais allègrement des écoutes téléphoniques – au mieux par pur mauvais esprit, au pire pour faire plaisir à la maman d'un trafiquant de stups qui ne m'avait au demeurant rien demandé – et on allait découvrir dans un box de parking à Vitry je ne sais quelle quantité de shit de la qualité supérieure dite *olive* allant jusqu'à 5 000 euros le kilo.

Le départ d'Espagne était pour le 13 juillet au soir afin d'entrer en France le 14, jour de la fête nationale, et de remonter sur Paris avec une surveillance inexistante compte tenu de la mobilisation des forces de sécurité pour le plan Vigipirate.

À ce stade de l'enquête, il n'était plus question de traduire de chez moi. J'ai été réquisitionnée quai des Orfèvres le 13 vers 22 heures jusqu'à ce que le camion arrive à peu près à la hauteur de Poitiers le 14 dans l'après-midi. Là, vers 16 heures, quand tout était enfin sur les rails, on m'a autorisée à rentrer chez moi prendre une douche et dormir quelques heures afin d'être en forme pour traduire la garde à vue du chauffeur marocain.

J'ai couru paniquée à la maison de retraite.

Là, j'ai cherché Khadidja puis, après l'avoir traînée dans le local technique, je lui ai brièvement exposé en arabe qui j'étais vraiment, ce que j'avais fait et ce que je savais. Je lui ai demandé d'appeler son fils qui devait être, compte tenu du moment où j'avais quitté la brigade, à peu près à la hauteur d'Orléans.

Elle m'a regardée atterrée, mais n'a pas pipé mot pour m'interrompre. Quand j'ai eu fini, elle s'est exécutée et lui a exposé la situation avec un sens de la synthèse et un sang-froid magnifiques :

– Tais-toi et écoute : il y a une dame devant moi qui parle arabe et qui dit que tu dois sortir de l'autoroute et cacher quelque part les petits poissons. Après tu dois y retourner et tu ne dois pas prévenir les autres, car sinon ils vont creuser et ils sauront que c'est moi et la dame qui t'avons prévenu. Ils t'attendent à Vitry. Ne leur résiste pas, s'il te plaît.

Je regardais en même temps le trajet de l'A10 sur mon téléphone portable.

– Demandez-lui quelle est la sortie d'autoroute qu'il a devant lui.

– La dame demande à quelle sortie tu es exactement.

– Devant moi il y a la 14 Orléans Nord.

– Dites-lui de jeter son téléphone par la fenêtre tout de suite et de ne sortir qu'à la 12, sinon on va le repérer avec le bornage. À la 11 il y a le péage de Saint-Arnoult et la police y a mis deux voitures de surveillance.

– Tu jettes ton téléphone tout de suite et tu sors à la 12 pour cacher les poissons, tu entends. À la 12 ! Après tu ne pourras plus.

– Au revoir, maman, a-t-il dit à sa mère en raccrochant.

Khadidja m'a fixée les yeux écarquillés par la peur puis s'est mise à sangloter.

J'avais la gorge nouée.

Je l'ai serrée dans mes bras et on a attendu assises, blotties l'une contre l'autre, le souffle en suspens, les yeux et les oreilles dirigés vers la porte, notre esprit encore plus loin, aux côtés de la police en train d'attendre Afid.

À un moment, j'ai fini par me lever et je suis allée visiter ma mère.

Afid a obéi et s'est fait arrêter comme prévu à son arrivée avec les cinq grossistes qui l'attendaient bien sagement malgré son immense retard. À Vitry, les policiers n'ont évidemment trouvé qu'une cache vide que Platoon et Laser, les deux malinois de la brigade canine, ont dû marquer en aboyant comme des possédés.

On m'a rappelée vers 19 heures pour traduire la garde à vue du convoyeur blédard qui ne parlait que le marocain et je m'y suis rendue l'âme légère, ne ressentant ni culpabilité ni effroi, mais plutôt… je dirais… un détachement joyeux.

À mon arrivée dans les locaux des stups, j'ai trouvé la ruche habituelle. Les inspecteurs, qui n'avaient pas dormi depuis quarante-huit heures, passaient frénétiquement d'une pièce à l'autre avec les dépositions des plus bavards pour confondre les plus silencieux. Outre Afid, le convoyeur et les cinq grossistes qui attendaient la marchandise, la police avait arrêté une dizaine de collatéraux comme les copines, les parents et quelques dealers, chacun étant cuisiné dans des pièces séparées. On n'avait pas encore interrogé Khadidja, mais c'était une affaire d'heures car elle terminait bientôt son service et elle était attendue en bas de son immeuble.

Des hommes jeunes, tous d'origine arabe, entraient et sortaient les menottes aux poignets. J'ignorais qui était le fameux Afid jusqu'à ce qu'un inspecteur signale ma présence en criant à tue-tête *l'interprète est arrivée !*, et un garçon attendant son tour pour aller à la visite médicale m'a alors dévisagée. Je suis devenue rouge comme une tomate.

J'ai traduit la garde à vue du Marocain. De ses réponses lapidaires aux questions posées par l'inspecteur : *j'sais pas de quelle drogue vous parlez… c'est vous qui le dites…* Etc. j'ai vite compris que personne dans ce dossier ne lâcherait la moindre information.

Les flics, n'ayant pas trouvé la drogue, en étaient restés à un flou de quantité qu'ils estimaient tout de même de l'ordre de la demi-tonne. Celle-ci ayant disparu dans la nature, ils n'étaient pas contents du tout même si les écoutes, particulièrement confondantes, leur suffisaient à envoyer tout le monde en prison.

À la question *Pourquoi êtes-vous sorti précipitamment de l'autoroute et qu'avez-vous fait entre Orléans et le péage de Saint-Arnoult pendant plus de deux heures ?*, le Marocain avait répondu qu'il convoyait ce camion avec Afid pour le vendre. Comme on devait le leur régler à la livraison, ils étaient inquiets parce que le moteur faisait un bruit bizarre. Ils avaient perdu deux bonnes heures à réparer puis étaient retournés sur l'autoroute où ils avaient foncé pour ne pas arriver en retard au rendez-vous avec l'acheteur. *Et la cache ? Quelle cache ? Y avait une cache ? Ah bon, je ne savais pas !*

Je voyais bien que les deux inspecteurs avaient envie de le frapper, mais ce qu'ils se permettaient encore il y a peu, ils ne le faisaient plus en présence de ma respectable cinquantaine. Ils en sont donc restés là, la mort dans l'âme.

Quant à moi, si on m'avait demandé de traduire l'appel entre Khadidja et son fils avant le péage de Saint-Arnoult, j'aurais écrit ce que j'ai toujours écrit : *Conversation sans intérêt pour l'enquête en cours*, et on m'aurait évidemment crue. Mais personne ne m'a rien demandé.

Je me rappelle être rentrée chez moi complètement lessivée.

Je me suis déshabillée et me suis plantée devant le miroir de ma salle de bains pour retirer mes lentilles de contact mais, en me regardant, j'ai eu un choc en voyant le visage fermé qui me fixait.

Khadidja avait raison lorsqu'elle disait que j'étais en colère. On pouvait même dire sans exagérer que ça débordait de toute ma personne comme un égout après un orage. Je m'observai en détail. Mes seins, mes cuisses, mes bras… tout était devenu une cause perdue. Mon corps entier appelait au secours. Je devais me rendre à l'évidence : je devenais vieille.

Qu'est-ce que j'allais devenir, moi qui n'avais ni retraite ni sécu. Je n'avais rien à part mes forces déclinantes. Pas le moindre sou de côté, mes maigres économies s'étant volatilisées dans l'agonie de ma mère aux *Éoliades*. Lorsque je n'aurais plus la force de travailler, je me voyais pourrir sans soin dans mon immeuble peuplé de Chinois qui m'empêcheraient de dormir avec leurs criailleries insupportables. Alors que depuis qu'ils étaient arrivés, les membres de la tentaculaire famille Fò regardaient à travers moi comme au travers d'une vitre, lorsqu'ils s'apercevront que je ne paye plus mes charges, je m'opacifierai d'un coup d'un seul et ils m'enverront crever sur un coin de trottoir comme un pigeon biset.

Voilà ce que je me suis dit en me regardant ce soir-là dans la glace.

Cette vision ultra-réaliste de mon destin m'a à ce point désespérée que j'ai pris sur moi de me maquiller, me parfumer puis d'enfiler ma jolie robe compote d'abricot. Pour personne, juste pour moi. Et alors que je tentais de me rassurer devant mon miroir, j'ai entendu des détonations. Ça n'est qu'à la troisième explosion que j'ai compris qu'il s'agissait non pas d'un attentat, mais du feu d'artifice du 14 Juillet que j'avais complètement oublié.

J'ai gravi deux à deux les marches d'escalier jusqu'au dernier étage de mon immeuble. Un couple de jeunes Chinois avait déjà ouvert la trappe à incendie et s'était installé pour contempler les explosions en amoureux. Je me suis rendue à l'autre extrémité du toit pour vivre mon trip toute seule, moi la veuve Portefeux, la chaussette dépareillée.

Je me suis couchée sur le dos, les bras en étoile, et sous les gerbes de couleurs le plaisir m'a submergée alors que j'offrais mon corps au ciel.

Une fois redescendue chez moi, je me suis mise au lit sans pouvoir fermer l'œil, me tournant fiévreusement dans mes draps, la tête occupée par tout ce que je venais de vivre.

Ça faisait presque vingt-cinq ans que je m'agrippais à un morceau de bois flotté dans la tourmente de ma minable aventure tout en attendant qu'il advienne un rebondissement imprévu digne d'une série télé… une guerre, un loto gagnant, les dix plaies d'Égypte, que sais-je… et c'était enfin en train d'arriver !

En regardant mon portrait aux côtés d'Audrey Hepburn, je me disais que la collection de feux d'artifice, c'était sacrément ambitieux comme projet… Dans la mesure où ils n'étaient tirés que dans des cieux estivaux, les poursuivre tout autour du monde revenait à vivre *the endless summer* – l'été sans fin, une destinée de surfeurs portés par une vague immense tout autour du globe. Sydney au nouvel an, puis Hong Kong, Dubaï, Taipei, Rio, Cannes, Genève et pour finir par le plus grand embrasement au monde : Manille. Un feu d'artifice tiré de cent endroits à la fois au point de faire ressembler la ville à un champ de bataille extraterrestre.

Un projet de vie aussi satisfaisant que la vision de la petite fille aux yeux *bleu-Patience* devant sa grosse glace.

… Et il y avait quelque part près de la sortie 12 de l'A10, en pleine campagne, une quantité énorme de shit qui ne demandait qu'à être récupérée.

Je n'avais pas beaucoup lutté intérieurement avant de mettre mon nez dans les affaires de la famille Benabdelaziz. Pas lutté du tout, pour être honnête. J'irais même jusqu'à dire que j'avais agi par instinct ou plus exactement par atavisme.

Et question culpabilité, je n'en ressentais aucune !

En effet, au premier jour de mon exercice professionnel, j'avais déjà compris qu'il n'y avait aucune logique à mon intervention.

Quatorze millions d'expérimentateurs de cannabis en France et huit cent mille cultivateurs qui vivent de cette culture au Maroc. Les deux pays sont amis et pourtant ces gamins dont j'écoutais à longueur de journées les marchandages purgeaient de lourdes peines de prison pour avoir vendu leur shit aux gosses des flics qui les poursuivent, à ceux des magistrats qui les jugent ainsi qu'à tous les avocats qui les défendent. Du coup ils devenaient amers et haineux. On ne m'enlèvera pas de l'esprit (même si mon ami flic m'affirme que je me trompe) que cette débauche de moyens, cet acharnement à vider à la petite cuillère la mer de shit qui inonde la France, est avant tout un outil de contrôle *des populations* en ce qu'elle permet de vérifier l'identité des Arabes et des Noirs dix fois par jour.

Quoi qu'il en soit le trafic de stups m'a fait vivre pendant pratiquement vingt-cinq ans au même titre que les milliers de fonctionnaires chargés de son éradication ainsi que les nombreuses familles qui sans cet argent n'auraient que les prestations sociales pour se nourrir.

Même aux États-Unis, en matière de dépénalisation, on était moins con que chez nous, et c'est pour dire. On y vidait les prisons pour laisser de la place aux vrais criminels.

Tolérance zéro, réflexion zéro, voilà la politique en matière de stupéfiants pratiquée dans mon pays pourtant dirigé par des premiers de la classe. Mais heureusement, on a *le terroir*… Être cuit du matin au soir, ça au moins c'est autorisé. Tant pis pour les musulmans, ils n'ont qu'à picoler comme tout le monde s'ils ont envie de s'embellir de l'intérieur.

Et je ressentirais de la culpabilité ? Quelle blague !

La blessée de la vie s'arrachait à son inertie mentale. *Je n'espère plus ; je veux !* comme le martelait Randal, le héros du *Voleur* de Darien, le livre préféré de mon père. On avait toujours travaillé avec les Arabes dans ma famille, alors autant continuer, c'était d'une évidence éblouissante.

L'esprit en éveil, je me suis donc remise à mon train-train travail-mouroir... Quelques traductions dans une affaire de proxénétisme : des filles que des types ont fait venir du bled en leur faisant miroiter qu'elles deviendraient putes pour footballeurs... Les incontournables escrocs à la carte bancaire pratiquant le dos à dos ; tous de Boufarik – une rente de situation depuis dix ans tant pour eux que pour moi... Un trafic de shit avec trois Marocains sans grâce qui juraient *surlecorandelamecque* toutes les deux phrases, cons comme j'avais rarement vu... et enfin Khadidja, remise sur écoute par le juge d'instruction.

... Et puis trois jours après, le 18 juillet, il y a eu le second AVC de ma mère.

Les aides-soignantes s'en sont aperçues à ce que son cerveau s'était réduit en une nuit à la taille d'un noyau de pêche. Elle ne pouvait plus du tout déglutir, ne parlait plus un mot de français et poussait des hurlements terrifiés. La direction l'avait envoyée faire un scanner qui est venu confirmer leur diagnostic : ce qui restait de son hémisphère droit était totalement HS et le gauche baignait dans le sang.

Lorsque je me suis rendue aux *Éoliades* constater le désastre, Khadidja était revenue travailler et m'attendait assise sur le lit de ma mère :

– Je voulais vous dire merci.

Son foulard tranchant sur la pâleur de son visage ravagé par une semaine sans sommeil lui donnait une expression archi tragique.

Je la rassurais en arabe :

– Il était inenvisageable que je ne fasse rien alors que je vous ai écoutée tous les jours parler à votre fils. Vous avez des nouvelles ?

– Oui, son avocat m'a dit qu'il allait bien et m'a réclamé beaucoup d'argent.

Là, elle a hésité, puis m'a demandé en arabe :

– Mais, vous savez tout de nous, alors ?

– Tout, je ne sais pas. Je suis la vie de votre famille depuis cinq mois ; vous, votre fils, votre frère ainsi que le chauffeur qui travaille à la ferme, ai-je répondu en français.

– C'est très gênant.

– Ça n'est vraiment pas la peine d'être gênée… Vous aussi vous avez le nez dans mon intimité… Je suis là, incapable de toucher ma mère, incapable de lui changer sa couche, de lui faire manger ne serait-ce qu'un yaourt… C'est moi qui devrais me sentir gênée de me donner ainsi en spectacle. Vous avez fait beaucoup pour elle… et pour moi.

Khadidja s'est mise à sangloter en français :

– Les policiers, ils ont tout cassé chez moi et m'ont parlé comme à une rien du tout. On est des gens bien, madame, pas des voyous.

– Je sais, vous voulez juste que votre vie soit un peu plus douce. On en est tous là, vous savez.

– Mon fils dit que c'est le voisin de mon frère qui nous a dénoncés parce que nous, on a trouvé une source et pas lui. Avant, sur la terre de la famille, on faisait des amandes et puis mon frère quand il a trouvé cette maudite source, il s'est dit qu'il pouvait enfin faire comme tout le monde de la khardala parce que c'est une culture qui demande beaucoup d'eau.

– … dont il extrait la résine et qu'il presse, je sais tout.

– Oui, il fait les *tbislas* lui-même. C'est beaucoup de travail. Au début, je n'ai pas été d'accord du tout parce que je me disais que ça nous rapporterait que des ennuis, et puis mon fils m'a convaincue qu'avec notre cousin qui était douanier, il n'y aurait pas de problème pour passer. Il est très intelligent, mon fils, vous savez. Il a toujours été le premier partout. Il a de bons diplômes, mais ici personne ne veut lui donner du travail.

– Ça fait combien de temps qu'il fait ça ?

– C'est la troisième récolte à peu près, mais avant mon frère tapait les tiges et les fleurs sur les tamis et ça mettait beaucoup plus de temps. C'est mon fils qui lui a appris à faire plus vite en congelant les plants. On peut dire que cette production, c'est vraiment la sienne, il a même dessiné la marque lui-même. Il a fait déjà beaucoup de voyages, mais jamais il n'avait ramené autant que cette fois-ci… Je savais que ça allait mal finir mais personne ne m'écoute. Heureusement que mon frère a pu rembourser le saraf pour notre part, sinon…

Et elle a tendu les mains vers le plafond pour signifier que la famille avait évité de justesse les foudres divines.

– Votre part, je ne comprends pas…

– Dans le camion il y avait aussi de la marchandise qu'il transportait pour d'autres… Et ceux-là, je suis sûre qu'ils me suivent. J'ai l'impression d'avoir tout le temps deux yeux qui se plantent dans mon dos quand je marche.

– C'est peut-être la police ; eux aussi ils veulent la drogue.

– Non, non, je sais ce que je dis, ceux-là ils sont du bled. La police, elle m'a demandé de signer dans un commissariat deux fois par semaine, comme une criminelle. Elle m'a interdit d'aller voir mon fils à la prison et je n'ai pas non plus le droit d'entrer en contact avec mon frère, mais je m'en fiche parce que ma fille m'a montré comment je dois faire avec la PlayStation pour lui parler sans qu'on puisse nous écouter.

Nous interrompant, ma mère, totalement confuse, s'est mise à hurler de terreur en fixant de son doigt valide un point imaginaire situé en direction des toilettes :

– *Neyn, ikh vet nit ! Neyn, ikh vet nit !*

– Arrête, maman !

Khadidja lui caressait le visage pour la calmer.

– La pauvre, elle est comme ça depuis qu'on l'a ramenée de l'hôpital. Surtout la nuit. Personne ne comprend rien à la langue qu'elle parle. Elle a l'air d'avoir vraiment très très peur.

– Ça veut dire « je ne veux pas ! » en yiddish. Quand elle était jeune, elle a vu des choses terribles. Donnez-lui quelque chose pour l'apaiser, s'il vous plaît… Trouvez-lui un médicament qui la fasse dormir toute la journée pour qu'elle ne se réveille plus que pour manger.

– Moi, j'ai rien à lui donner si le médecin, il ne passe pas pour lui prescrire, mais vous, vous pouvez toujours lui apporter un truc et je m'en occuperai. C'est le minimum quand même.

– Surtout ne changez pas de numéro sinon ils vont se méfier et croire que vous avez quelque chose à cacher. S'ils vous ont laissé le téléphone, c'est parce que vous êtes sur écoute. S'ils n'ont pas trouvé la drogue qu'a planquée Afid, c'est parce qu'ils la cherchent au mauvais endroit ; là où il a borné en dernier avant de jeter son mobile. Au téléphone ne parlez qu'en arabe, comme ça on passera toujours par moi pour traduire vos conversations. Parlez arabe à tout le monde, toujours !

– Aaaah ! a-t-elle fait avec un air de connivence.

– Khadidja, je peux vendre votre production. Je ne sais pas exactement comment, c'est sûr, mais grâce à mon métier je sens que c'est possible. Je vous ai montré que vous pouvez avoir confiance… J'ai besoin d'argent ! Tout ce que j'ai gagné dans ma vie a servi à élever mes enfants et à payer cet hôpital. Si je ne fais pas très vite quelque chose, je vais mourir comme une clocharde.

Là, elle m'a mis gentiment la main sur le bras.

– Je peux parler avec mon téléphone, c'est sûr ?

– Sûr, c'est tranquille.

– Alors je vais organiser une rencontre avec mon frère. Demain.

Sur le moment, je n'ai pas compris ce que cela voulait dire.

Lorsque je suis retournée à l'hôpital le lendemain à la même heure avec du Diazépam, Khadidja m'a interpellée avec des airs de conspiratrice pour me conduire dans la chambre de ma mère dont elle a fermé la porte à clef. Là, pendant que je la droguais avec un breuvage bleu teinté par vingt gouttes de produit, alors que la prescription maximum ne dépassait pas cinq, l'aide-soignante a branché une console de jeux sur un des ordinateurs portables de l'EPHAD puis a lancé une partie privée sur GTA5.

Elle m'a choisi un avatar en la personne d'une jeune femme sportive… aux cheveux longs et blancs et aux yeux bleus… et je suis apparue sur la piste d'un aéroport militaire en pleine jungle.

Un gros avion avec deux doubles hélices a atterri et en est sorti un homme d'âge mûr.

– Regardez, c'est mon frère, m'a dit fièrement Khadidja…

Et là la silhouette s'est mise à courir très vite vers moi.

J'étais totalement médusée. Une fois à l'arrêt les deux personnages passaient gauchement d'un pied sur l'autre, les bras ballants, en latence.

– Parlez, il vous entend.

– Bonjour. Vous êtes… Mohamed ?

– Oui.

La conversation s'est faite ensuite en arabe.

– Ma sœur m'a dit que vous vouliez me parler.

– Je sais que vous n'avez plus de contact pour vendre votre production, mais moi je peux vous en fournir grâce à mon travail. Par exemple en ce moment, j'écoute des types, des Marocains, qui ont une belle clientèle dans le sud de Paris : Nation, Vincennes, Saint-Maur…

S'est ensuivie une longue plage de silence.

– Je les connais, pas, moi, ces types dont vous parlez. Il était limite aimable ; un bourrin.

– Je vous donne leurs noms et vous faites des recherches pour vous assurer que les familles sont fiables.

– Ouais, c'est ça… Fiables…

– Si on travaille avec ces garçons, on pourrait faire rapidement du gros argent parce que j'aurai toujours un coup d'avance sur la police.

Faire du gros argent… Je savais, pour avoir régulièrement rencontré dans mes écoutes ce terme impudique et gourmand, qu'il avait l'art d'amadouer les dealers comme les promesses de gâteaux attirent les enfants.

– Vous n'y connaissez rien.

– La qualité la plus basse vaut 250 à 300 le kilo au Maroc et se négocie à 800 en Espagne une fois la frontière passée. Le pakistanais est acheté 1 200 et revendu à 2 500 en Espagne. L'olive, soit votre résine, parce qu'elle est rare, est à 1 400 au Maroc, pour 4 000 en Espagne. Après, entre l'Espagne et la France le kilo prend en moyenne 1 000. Quant au pollen, à l'aldallah, vous n'en faites pas mais vous devriez, car les types dont je vous parle ont des clients qui ont beaucoup d'argent. Pour votre drogue au détail je pense qu'on peut aller jusqu'à 5 000 euros le kilo tellement la qualité proposée en ce moment sur le marché est mauvaise.

– Ouais… Vous pensez…

– Je prends 20 % sur le prix au détail.

– Ah oui…

– Ce que je vous propose c'est de mettre sur pied une organisation sécurisée qui dure et qui offre un approvisionnement continu à un tas de gens que je choisirai après les avoir testés longuement en les écoutant sans qu'ils le sachent. En plus, je vous signale que là, la drogue est en pleine nature. Si votre neveu vous dit où il l'a cachée, moi et Khadidja, on peut aller la mettre à l'abri. Vous pouvez me faire confiance.

– Comment je peux le savoir où elle est ? Quelque part sur la route ! Afid ne m'a pas envoyé les coordonnées GPS avec son portable parce que vous avez eu la bonne idée de lui demander de le jeter avant de trouver une cachette. À cause de vous, je suis obligé d'attendre qu'il prenne contact avec moi.

– Si je n'avais pas été là tout aurait été perdu alors on peut dire que c'est grâce à moi que vous avez encore votre marchandise. Je ne pense pas d'ailleurs avoir entendu un merci de votre part.

Il commençait franchement à m'énerver.

– Ouais…

– Il y avait combien ?

– En fait, je ne sais même pas pourquoi je parle avec vous.

Et la silhouette s'est volatilisée de l'écran, me laissant seule dans la jungle.

– Mon grand frère est un peu vieux jeu, me fit Khadidja en guise d'excuse.

– C'est-à-dire ?

– Je crois que c'est parce que vous êtes une femme cultivée. Ça l'humilie.

– C'est n'importe quoi !

– C'est comme ça !

– Toute ma vie, on me l'aura reproché, d'être une femme.

– Moi pareil. Tant pis pour eux ! Ma vie, elle me va comme ça.

Ma mère, totalement dans les vapes, s'était mise à sourire tout en ayant l'air de suivre la conversation. Nous sommes restées à la regarder en silence.

– Elle m'a raconté une histoire… je me suis toujours demandé si c'était vrai. À la fin de la guerre, elle a attrapé un truc grave avec une fièvre qui est montée jusqu'à 41 et demi. Les gens autour d'elle étaient tous d'accord pour dire qu'elle ne passerait pas la nuit, et alors qu'ils étaient là, à discuter de son cas, sont apparus sur son oreiller comme des rayons partant de sa tête. Tout le monde s'est agenouillé pour prier en disant qu'elle était une sainte, sauf ma grand-mère qui ne croyait en rien et surtout pas que sa fille fût touchée par une quelconque grâce. Elle s'est penchée vers elle pour mieux observer ces fameux rayons : c'était des colonies de poux qui quittaient à la queue leu leu sa tête parce qu'elle était mourante. Est-ce que vous avez déjà entendu ou vu un truc pareil ?

– Ah non, j'ai jamais entendu ça.

– Ouais, je me disais aussi.

Deux jours ont passé, et alors que j'étais à la 2e DPJ dans le Xe arrondissement en train de traduire une garde à vue, mon téléphone s'est mis à sonner avec insistance, affichant le numéro de l'EPHAD de ma mère.

Finalement, en plein travail, j'ai pris l'appel en m'excusant mille fois. C'était la directrice.

– Il faut que vous veniez immédiatement, votre maman a hurlé sans discontinuer toute la nuit. En plus elle a frappé une aide-soignante qui bien évidemment en a profité pour se mettre en congé maladie. Je crois que le moment est venu pour tout le monde qu'elle soit admise en soins palliatifs. Ou alors vous embauchez une extra.

– Là, je ne peux pas m'absenter de mon poste. Dans deux heures, j'aurai une pause.

– Ne le prenez pas mal, mais je ne peux pas me permettre d'avoir un malade aussi lourd. Je fonctionne avec trois aides-soignantes là où il m'en faudrait le double. C'est une collectivité, ici, et votre maman en hurlant jour et nuit angoisse les autres pensionnaires, en particulier les Alzheimer déjà très difficiles à gérer en plein été.

– Mais je l'ai vue avant-hier, elle était calme. Khadidja s'en occupe très bien et…

– Khadidja est décédée !

– Quoi ?

– Elle aurait eu une attaque hier soir devant chez elle alors qu'on lui volait son sac. Oui, je sais, c'est affreux, nous sommes toutes totalement bouleversées. C'est pour ça, et vous le comprendrez, que je dois envisager d'urgence une solution plus adaptée pour votre maman. Je lui ai trouvé une place en palliatif gériatrique, je n'attends plus que votre signature.

J'ai terminé ma garde à vue en essayant de me concentrer comme je pouvais puis je suis partie en taxi aux *Éoliades*.

En arrivant à l'étage de ma mère, j'ai retrouvé les collègues de Khadidja dans tous leurs états. Officiellement une crise cardiaque l'aurait emportée alors qu'un groupe de malfrats l'aurait suivie à l'intérieur de son immeuble pour la molester et lui dérober son sac. Mais moi, je supposais tout autre chose. Les responsables de sa mort devaient être les autres propriétaires de la drogue transportée par son fils ; ces hommes du bled par qui elle m'avait confié être suivie. Ou alors c'était tout simplement Radio prison sur laquelle tous les dealers d'Île-de-France avaient appris qu'un certain Benabdelaziz et sa bande de Vitry étaient tombés sans leur gros chargement de qualité supérieure ? Quoi qu'il en soit, des types étaient partis mettre un gros coup de pression à la pauvre Khadidja pour l'inciter à dire où Afid avait caché la drogue, et son cœur avait lâché.

Ça y est, j'y étais de plain-pied, dans le business. Le côté cour que mon père nous cachait ; là où l'on entrepose les poubelles. Ce moment où il revenait les mâchoires serrées de ses voyages et qu'à la maison nous comprenions qu'il était de bon ton de s'écraser.

Déchaînée, sevrée des médicaments que l'aide-soignante lui administrait en douce, ma mère hurlait de plus belle tout en se débattant dans son lit comme si elle allait se noyer. La vision de ses cheveux sales et ébouriffés, de son visage à moitié paralysé, tordu par des grimaces démentes, était au-dessus de mes forces.

En la voyant ainsi, je me suis mise en mode *veille* et la seule réflexion qui m'est venue à l'esprit à ce moment-là, en fixant la touffe poivre et sel qui se dressait sauvagement au-dessus de sa tête, était que je ne l'avais jamais connue avant son hospitalisation avec un seul cheveu gris. Je ne savais même pas qu'à la base elle était brune vu que je ne connaissais de sa jeunesse que des photos en noir et blanc.

J'ai signé les papiers que me présentait la directrice et, de la même manière dont on se débarrasse avec hâte d'un gros animal qui pue, elle a appelé l'ambulance pour qu'on l'embarque aussitôt vers l'ultime case du jeu de l'oie de la déchéance humaine : le centre de soins palliatifs.

Elle m'a demandé, d'une voix sèche et pointue que plus aucune nécessité commerciale à mon endroit ne venait adoucir, de vider la chambre de toutes ses affaires afin qu'elle soit nettoyée pour être réoccupée le lendemain par un autre pensionnaire, et surtout de le faire vite. Pince à ongles, brosse à cheveux, crème hydratante, coussin, foulard, grenouillère… C'est tout ce qui restait de la vie matérielle de ma mère. J'ai tout jeté en vrac dans un carton avec l'impression tenace d'avoir déjà vécu cette scène abominable plusieurs fois dans ma vie.

Quand je suis sortie de sa chambre, les femmes de service nettoyaient déjà.

Je n'ai gardé de son escamotage qu'un fox-terrier en peluche, un jouet blanc, marron et noir grandeur nature que j'avais payé une blinde et qui faisait office d'objet transitionnel entre ses mains d'aveugle en incarnant Schnookie, le chien de sa jeunesse. Le reste, je l'ai laissé sur place. Puis je suis retournée à la 2ᵉ DPJ finir mon travail.

Schnookie, c'est celui de ses chiens qui s'était noyé en 38 alors qu'elle et sa famille traversaient le Danube dans une barque pour fuir les Allemands. Le fox a paniqué et a sauté par-dessus bord et le courant l'a emporté devant ma mère impuissante. *C'est la seule fois de ma vie où j'ai pleuré*, précisait-elle, la voix chevrotante, à tout son auditoire. Inutile de dire que lorsqu'elle se donnait ainsi en spectacle, j'avais envie de la tuer.

J'ai voyagé en bus avec mon fox en peluche debout sur le siège à côté du mien. Je ne me sentais pas très bien. Le spectacle de cette femme aux cheveux blancs en état de choc avec sa peluche devait être particulièrement haut en couleur puisque deux personnes m'ont prise en photo l'air de rien avec leur portable pour les poster sur les réseaux sociaux. Avec quel commentaire, je préfère ne pas le savoir !

Une fois arrivée à mon travail, je me suis installée dans la pièce de repos tapissée d'affiches de mauvais films de flics et me suis versé un café en attendant que ma présence soit à nouveau requise. J'avais mal à la tête, ou plus exactement mon cerveau retentissait d'une sorte de bourdonnement sourd, comme un bruit de mixeur étouffé par une couverture. C'était insoutenable. À un moment je me suis même dit qu'un vaisseau allait éclater dans mon cerveau comme dans celui de mon mari.

Jusque-là j'avais pleuré sur mon impuissance, sur mes immersions obligées dans ce mouroir abominable, sur le spectacle affreusement déprimant que ma mère m'infligeait… Mais là, à la voir débloquer en grenouillère au point de ne même plus savoir qui elle était, je touchais le fond de la condition humaine… et c'était vertigineux à quel point il était loin, le fond.

Effrayant.

Et on allait me retrouver, un café à la main dans cette salle de repos de la 2e DPJ, un filet de sang coulant de l'oreille… Mais quelle énergie on dépensait à vivre tout de même… Mes filles se feront exactement la même remarque lorsqu'on retrouvera mon cadavre agrippé à mon gobelet dans ce décor ridicule d'affiches de films à base de testostérone… Comme tout cela était déprimant…

À un moment des aboiements tonitruants m'ont fait sursauter : Platoon et Laser, les deux chiens de la brigade canine, s'en prenaient à l'animal en peluche perché sur la machine à café qu'ils distinguaient par l'entrebâillement de la porte.

Je suis sortie pour le leur montrer afin de les calmer. Ils m'ont tout de suite reconnue et m'ont fait une fête d'enfer, ce qui m'a ramenée à la surface.

— Ils vous aiment bien, dites donc, me fit l'agent de la brigade cynophile, un jeune homme à lunettes d'une trentaine d'années, très sympathique.

— J'adore les chiens, mais j'habite dans un appartement trop petit pour en avoir.

– Un chien, ce dont il a besoin, c'est d'être avec son maître, la taille de l'appartement, il s'en fiche. Laser va bientôt en chercher un, de maître. Je vous le réserve si vous voulez, vous avez l'air de bien vous entendre.

– Il n'est pas à vous ?

– Non, les chiens appartiennent au service, mais à neuf ans ils partent à la retraite.

– Et ils deviennent quoi, après ?

– Si personne ne les prend, ils sont euthanasiés.

Tout à coup, avec mon fox en peluche sous le bras, une fulgurance m'a saisie… Une épiphanie en forme de chien !

– Je le prends tout de suite !

– Je vous l'ai dit, il lui reste un an à tirer, mais si vous voulez faire une bonne action il y a un refuge spécial pour les chiens de la police. Vous le trouverez sur Internet, sur le site de la brigade.

– Et on peut choisir… leur spécialité ?

– Leurs antécédents sont inscrits sous leur photo. Par exemple si vous avez des enfants, on ne vous donnera jamais un chien de patrouille à cause de son mordant.

– Et ils sont tous gros comme Laser ou il y en a des plus petits ?

– En général ce sont des malinois. Tenez, je vous montre.

… et sur son iPhone il m'a fait défiler des portraits de chiens en cage prêts à être euthanasiés.

Alors déjà que ça n'allait pas fort… mais là, avec toutes ces pauvres bêtes qui fixaient l'objectif avec des airs de supplique, la digue a cédé. Je ne pouvais plus m'arrêter de pleurer. Limite, je beuglais.

– Je suis désolé, a fait le flic hyper gêné.

– Non, non, regardons, ai-je fait en reniflant. Je suis un peu à cran en ce moment. Je veux voir les chiens de drogue comme Laser, ce sont les plus gentils. Je suis sûre !

– Celui-là, Centaure… recherche en explosif.

– Non, non, drogue ! ai-je insisté entre deux hoquets. J'avais l'air d'une folle.

– ADN… mais il est vraiment très vilain ! On dirait un kangourou. *ADN, 9 ans, recherche de drogue et de billets de banque…*

C'est vrai qu'il avait un physique difficile avec sa robe mouchetée noir et blanc, ses oreilles en guidon de vélo et ses trop longues pattes pour un corps de saucisse. Un total bâtard malinois-lévrier mâtiné d'une race indéfinissable.

Mais ADN sur la photo souriait, d'un sourire enthousiaste, plein de confiance en son maître à venir.

– Appelez-les, je vous en prie, peut-être qu'ils l'ont déjà tué ou qu'il mourra ce soir !

– Vous êtes sûre ?

– Oui, oui, je veux adopter ce chien qui sourit. Appelez-les, maintenant ! Dites-leur que je passe avant la fermeture prendre ADN.

Le pauvre homme a reculé d'un pas, effrayé par mon air dément.

– Écoutez : ma mère va mourir dans les jours qui viennent. On l'a amenée dans un service de soins palliatifs, il y a deux heures, pour une sédation profonde. Je pense que ça vous parle, vous qui aimez les bêtes. J'en ai amené deux à piquer alors je sais ce que c'est. Ils vous regardent quand on les endort et luttent pour que leurs yeux ne se ferment pas. Et vous savez pourquoi ils font ça ? Pour emmener avec eux une image de vous parce qu'ils vous chérissent et ils savent qu'ils ne vous verront plus. Parce que les chiens, voyez-vous, ça ne croit pas en Dieu. C'est intelligent, un chien, c'est pas comme les gens… Ma mère n'aura même pas la chance d'un chien. On va la laisser mourir de faim, de manière naturelle comme on dit dans ce pays arriéré, et je n'irai pas lui tenir la main parce que c'est juste horrible. Alors, je dois adopter ADN ce soir parce que, sinon, lui aussi il va mourir et ça, ça n'est pas possible. Appelez-les, s'il vous plaît.

Et il a appelé.

On y est allés ensemble et, en cette fin de journée du 23 juillet, ADN était chez moi.

J'aimais tout en lui : sa robe arlequin, la disproportion de ses formes qui n'avait d'égale que la mienne, ses aboiements sonores qui couvraient enfin le boucan de mes voisins et le fait qu'il ait choisi instantanément d'être attaché à mes pieds partout où je marchais, comme une ombre en forme de chien.

Du coup, ma mère m'est complètement sortie de l'esprit.

À l'instant où ADN a mis les pieds chez moi je n'ai plus arrêté de lui parler tellement j'avais de choses à lui dire ; c'est que les sujets de conversation avec un chien, quand on n'a eu personne avec qui vraiment échanger pendant vingt-cinq ans, ne manquent pas.

Et puis nous avions un travail à accomplir d'urgence :

– On va regarder sur Google Earth où ce crétin de Marocain a pu planquer sa cargaison, voui, voui, voui…

Il me fixait de son regard humide. *Waf*, il était d'accord.

Sortie 12 de l'A 10 Janville-Allaine.

J'ai cliqué pendant trois heures sur la Street View dont j'avais une grande pratique vu que je ne partais presque jamais en vacances sauf assise à mon bureau devant mon ordinateur.

J'ai commencé par le côté droit de l'autoroute, ce qui me paraissait plus naturel lorsque l'on vient du sud.

Je m'imaginais Afid dans la panique, cherchant un endroit pour décharger tout en gardant à l'esprit qu'il n'avait ni le temps ni une pelle pour creuser un trou, et qu'il cherchait un endroit abrité de la pluie, ne sachant pas quand quelqu'un pourrait aller chercher sa précieuse cargaison. À chaque croisement, je tournais la flèche sur 360° comme si je regardais autour de moi et je ne voyais pas du tout où on pouvait planquer discrètement une quantité significative de drogue.

D'abord on était en Beauce, et la Beauce c'est plat comme la main. C'est si plat qu'un simple type debout se voit à mille lieues à la ronde. À proximité des maisons c'était impossible, sachant qu'un bruit de camion dans ces endroits où l'on s'emmerde à mourir suffit à attirer les gens à leurs fenêtres. Il n'y avait dans un cercle de cinq kilomètres que des champs à perte de vue, des fermes occupées ou des villages. Je n'ai rien trouvé sauf un entrepôt de matériaux de construction totalement clôturé sur la D1183, une bâtisse en hauteur abritant des compteurs électriques et un petit bois. Sur la D118 deux autres petits bois à l'abri des regards. Il n'y avait rien d'autre. Même s'il était allé beaucoup plus loin, il serait revenu en arrière parce qu'il n'aurait rien trouvé de plus que moi. À part ces points-là, tout était à découvert.

Le lendemain, par une chaleur accablante, nous nous sommes donc lancés, mon chien et moi, dans une expédition *in real life* exagérément optimiste.

Nous avons commencé par l'entrepôt que nous avons abordé par l'arrière sur un chemin vicinal. Il s'agissait d'une espèce de carrière. Le genre de décor de meurtre où on s'attend à voir une femme allongée sur le ventre, la jupe retroussée, le visage disparaissant dans une flaque d'eau. J'ai lâché ADN qui, à part courser un lapin, n'a fait que me suivre en remuant la queue. Nous avons également exploré jusque très tard tous les petits bois alentour, des groupes d'une centaine d'arbres regroupés autour d'étroits ruisseaux boueux.

En regardant mes jolies chaussures en daim gris s'enfoncer avec un bruit de succion dans le sol spongieux, j'ai commencé à douter. En m'effondrant par terre le pied pris dans une racine, je me suis mise à maudire la terre entière.

J'avais déjà perdu quatre jours depuis la mort de Khadidja ; les chances de me retrouver face à face avec la police ou une équipe de dealers augmentaient d'heure en heure.

Qu'est-ce que je foutais là ? Et si mon chien était en panne ? Et si Afid était plus con que je ne croyais et avait jeté la drogue dans un fossé au petit bonheur la chance ?

À y repenser, je me dis maintenant qu'il fallait que je sois drôlement désespérée pour croire à un plan pareil ; un peu comme une folle qui penserait à échapper aux huissiers en jouant au loto.

Je pouvais au moins m'affranchir d'une de mes incertitudes à moindre coût : l'état du flair de mon chien.

Avant de rentrer à la maison vers deux heures du matin, nous sommes passés faire un pipi rue des Envierges dans le XXe arrondissement, connue pour être un marché de shit à ciel ouvert. À peine avais-je entrouvert la portière qu'ADN est sorti comme une flèche pour aller coller sa truffe directement dans l'entrejambe d'un dealer noir qui, terrorisé, est monté sur le capot d'une voiture. J'ai sifflé. Le chien m'a immédiatement rejointe et nous sommes repartis. De ce côté-là, donc, pas de problème.

Après quelques heures de sommeil, je suis retournée en Beauce en abordant ma recherche différemment. Je suis sortie en trombe de l'autoroute, mimant la panique d'Afid, tournant à chaque intersection où de loin on voyait une possibilité de cacher de la drogue. J'ai fait ça à quatre reprises en lâchant à chaque fois le chien quand un lieu m'inspirait. À un moment nous sommes arrivés sur une route reliant les communes de Janville et d'Allainville ; un chemin vicinal traversant un champ, bordé d'immenses éoliennes et longeant l'A10. Au loin, j'ai vu une zone technique avec des empilements de tuyaux, des gros tas de graviers et des barils. J'ai compris en regardant mon iPhone pourquoi je ne l'avais pas remarquée au préalable sur Google Earth : c'était parce que l'endroit où je me trouvais avait été caché par un petit nuage au moment de la prise de vue par le satellite.

ADN est sorti de la voiture en aboyant comme un fou et s'est mis à marquer les barils et le tas de graviers. J'ai immédiatement noté que les plantes longeant la zone étaient en train de faner comme si on avait balancé du poison dessus en vidant le contenu des tonneaux. En faisant levier avec le manche de ma brosse à cheveux, j'ai fait sauter le couvercle d'un des barils et... le shit était là, à l'intérieur, sous la forme de valises marocaines, des pains de shit géants conditionnés dans de la toile plastique avec une poignée. Ça pèse vingt kilos et ça vous arrache le bras.

Le premier tonneau que j'ai ouvert en contenait deux. En frappant sur les autres avec un bâton, j'ai constaté qu'ils étaient tous pleins. Mais il y avait également du shit en paquets de un kilo cachés sous le tas de gravier...

Tout à coup j'ai pris la mesure de mon inconscience. Il y avait à vue de nez, au pied de cette éolienne, pour des millions d'euros de cannabis. Les Benabdelaziz, autant qu'ils étaient, risquaient d'être torturés à mort afin de produire de jolies vidéos destinées à Afid pour lui faire dire où il avait caché la drogue. La police devait le maintenir à l'isolement, lui et le chauffeur, pour tenter d'arriver la première, sinon il y aurait déjà la queue dans ce coin de Beauce.

Et dire que j'avais eu peur à un moment que sa sœur aille fouiller les archives des *Éoliades* pour retrouver mes coordonnées... Franchement, je n'avais aucun souci à me faire : si elle avait un minimum d'instinct de survie, elle devait, depuis la mort de sa mère, être profondément cachée dans un trou aux confins du bled. Le seul à savoir que j'aurais pu peut-être savoir où chercher, c'était Afid lui-même, mais il était en prison.

Je me suis mise à paniquer tout en embarquant à l'arrière de ma voiture tout ce que je pouvais y caser, à savoir trois valises marocaines et deux sacs Ikea remplis à ras bord de pains de shit.

Une fois sur l'autoroute, je me suis détendue. Je me suis même surprise à chanter à tue-tête : *Je suis un Go Fast à moi toute seule*... sur l'air de *Bande de jeunes* de Renaud, sans me rendre compte que j'étais totalement stone. Les pains de shit puaient tellement malgré le cellophane qui les entourait qu'en arrivant à Paris c'était comme si j'avais fumé dix pétards. Mon pauvre ADN, lui aussi, était dans un drôle d'état. Il dormait sur le dos en bavant des litres, l'odeur de cannabis se glissant dans son sommeil tout en exaspérant son flair.

J'ai garé ma voiture dans mon parking et monté à toute vitesse le cannabis chez moi, soit plus de cent kilos, puis j'ai loué un utilitaire et je suis repartie immédiatement pour charger le reste.

Je bénissais le ciel que mes filles soient toutes les deux en voyage à l'étranger. Je bénissais également mes Chinois de voisins qui avaient à coup de travaux ultra dispendieux votés par la copropriété – j'y avais mis mon veto que je savais de pure forme puisque la famille Fò avait racheté tout l'immeuble – transformé le sous-sol en chambre forte. Eux aussi circulaient entre leurs caves et leurs appartements avec d'énormes sacs en toile plastique, s'adonnant à je ne sais quelles magouilles. Je louais enfin, et c'était la première fois, ma constitution de paysanne. En trottinant avec de chaque côté un sac de vingt kilos, je sentais dans mon corps des générations de femmes inusables trimbalant mioches et rutabagas à travers les shtetl.

Sur le site de l'éolienne, j'ai bien fait attention de tout remettre en état et d'effacer les traces de mon passage… Eh bien, on me croira ou pas : alors que je quittais la route, en m'engageant à droite sur la départementale, j'ai vu surgir d'un nuage de poussière, arrivant dans l'autre sens, un convoi de 4 × 4. Mon cœur s'est arrêté de battre sur au moins trois kilomètres, jusqu'à ce que j'arrive saine et sauve sur l'autoroute.

Si j'avais emprunté cette voie ne serait-ce que trois minutes plus tard, je serais morte sans que personne ne comprenne ce que mon cadavre foutait là. La présence de mon corps dans un champ au milieu de la Beauce aurait été aussi inexpliquée que celle de ce mythique homme-grenouille largué par un canadair sur un feu de forêt.

Ma cave étant pleine à ras bord de meubles appartenant à mes parents, j'étais obligée d'entreposer tout le shit dans mon appartement, du coup on ne pouvait plus y faire un pas sans buter dedans. On ne pouvait plus y respirer non plus, l'odeur grasse de résine reconnaissable entre mille envahissant tout l'espace.

J'ai fermé les fenêtres et calfeutré le dessous de la porte d'entrée avec mon teckel en toile anti-courants d'air, mais malgré cela elle continuait à s'insinuer dans la cage d'escalier, se livrant à une lutte fratricide avec celle de Nuoc-mâm de mes voisins. Du coup j'ai dû ressortir acheter une cinquantaine de containers hermétiques pour y mettre mon butin. Tout cela sans avoir dormi depuis 48 heures, avec le dos en vrac.

Pour finir, j'ai hélé deux manouches qui sont venus avec leur camion déglingué pour vider ma cave du bric-à-brac médiéval qui me restait de mes parents.

Alors qu'ils étaient en train de charger dans leur véhicule des merveilles comme le fameux heaume monté en lampe ainsi qu'une série de tapisseries représentant le siège d'Orléans et des meubles style Inquisition espagnole avec l'air de ne pas y croire tellement c'était beau, j'ai exfiltré le .357 Magnum à canon court de mon père.

Ce revolver, j'avais projeté de m'en débarrasser car, outre le fait de trouver les armes affreusement laides, cette dernière avait tué des gens dont les cadavres avaient été enterrés sur le terrain de *La Propriété*. Je me disais que si quelqu'un tombait un jour sur ces ossements, on remonterait fatalement jusqu'à moi, et si en plus on trouvait l'arme qui avait servi à trucider toutes ces personnes, j'aurais eu à fournir des explications épuisantes. Mais se débarrasser d'une arme, c'est le genre de tâche que l'on remet toujours au lendemain sans jamais s'y atteler.

Ce fameux jour où j'ai vidé ma cave pour y entreposer mon shit, j'ai finalement décidé de la garder.

En éprouvant le poids et la froideur du métal dans ma main, je me fis la remarque qu'on ne se souvient jamais de ce qu'on pensait enfant des événements dont on a été le témoin ; à peine se les représente-t-on comme s'il s'agissait d'une fiction ou d'histoires qui sont arrivées à une autre personne.

Une image me revient souvent : celle de mon père, debout immobile pendant de longues minutes au milieu de la pelouse. Un œil non averti aurait dit qu'il admirait son jardin. Ses roses grosses comme des choux-fleurs que ni moi ni ma mère n'avions le droit de cueillir. Ses iris de toutes les gammes de couleurs. Sa glycine grimpante au-dessus de son banc, ses buis en boule, ses ifs en pyramide… Mais ce n'était pas du tout ça qu'il contemplait, mais un point situé bien plus loin dans le temps et l'espace, dans la vallée de la Medjerda où il avait grandi.

Avoir été arraché à ses racines sans s'être battu pour sa ferme tunisienne l'avait rendu totalement maboul.

Au centre du terrain, sous un saule pleureur, il avait placé la reproduction d'une allégorie d'Émile Boisseau : *La Défense du foyer*. Pour ceux qui ne connaîtraient pas, il s'agit d'une sculpture pompière datant de 1887, exposée square d'Ajaccio dans le VIIᵉ arrondissement de Paris. Elle fut reproduite en série dans différents métaux, dont la version cheap en zinc et antimoine qui se trouvait chez nous.

Nulle autre œuvre n'exprimait mieux l'image mentale qu'il se faisait de lui-même. Comme le valeureux Gaulois vêtu d'une simple peau de bête protégeait de son glaive brisé sa femme et son bébé – *Perit sed in armis* : il mourrait pour défendre sa famille et *La Propriété*, les armes à la main.

Lorsque la nuit tombait, l'éclairage public dispensé par les grands mâts plantés au bord de l'autoroute donnait au jardin un air de décor de film expressionniste, et cela particulièrement lorsque parmi les ombres animées des grands arbres se faufilait la silhouette allongée d'un cambrioleur. J'en ai vu à deux reprises escalader le mur, faire le tour de la maison et, après avoir constaté que la place était à la fois occupée et imprenable, repartir par où ils étaient venus.

Mais, un jour, en pleine nuit, l'un d'entre eux a commis l'irréparable en embarquant *La Défense du foyer* après l'avoir grossièrement arrachée de son socle à coups de burin.

La blessure narcissique de mon père fut telle que le lendemain, il acheta à une barbouze de ses amis ce fameux .357 Magnum avec son silencieux assorti pour leur tirer dessus sans nous réveiller. Il tua le premier lorsque j'ai eu huit ans et l'enterra au fond du jardin, là où en automne on brûlait les feuilles mortes. J'ai bien posé deux, trois questions ce fameux jour où je l'ai vu traverser la pelouse au pas de charge avec un corps débordant d'une brouette. Il m'a répondu que si ces types ne voulaient pas qu'on leur tire dessus, ils n'avaient qu'à pas pénétrer dans *La Propriété* une fois la nuit tombée parce que la loi était de son côté ; ça s'appelait la légitime défense. D'ailleurs tous les colons qui habitent des maisons entourées de murs font pareil.

J'ignore combien il en a tué en tout, car tout ça se passait en général la nuit à une époque où je ne faisais pas trop attention aux choses, mais je sais qu'il y a là-bas, dans la fosse à feuilles, un véritable charnier. C'est notre pauvre majordome qui a pris la relève pour ensevelir les corps. Il me l'a dit le jour où il m'a demandé de l'accompagner à la pharmacie pour s'acheter une gaine pour son dos. Et mon père a dû prêter sa fosse à d'autres ou en faire un usage lié aux activités particulières de la Mondiale, car lorsque j'ai débarrassé la maison après sa mort, j'ai retrouvé une vingtaine de cartes d'identité dans une boîte à chaussures. Que des hommes entre vingt et quarante ans. Je les ai toutes mises dans une enveloppe adressée au commissariat du coin sans que cela ait la moindre conséquence, pas même un entrefilet dans les journaux.

La Propriété, le temps où mes parents y ont vécu, a été comme un gros bénitier dont la coque se refermait de temps à autre sur un poisson anonyme dans le silence de la mer.

À la mort de mon père, ma mère s'est hâtée de la vendre pour une bouchée de pain à un type aussi arrogant que con. Un despote qui voyait là l'occasion d'asseoir sa tyrannie sur sa famille confinée derrière les murs et isolée par le vacarme de l'autoroute. En signant le compromis de vente, il nous a confié avoir été emballé par l'endroit tout en jetant un œil salace à ses trois filles… recrues de choix – je l'ai senti dès que je les ai vues – du *Peuple de la route*.

J'ai regardé il n'y a pas si longtemps par-dessus le mur en montant sur le capot de ma voiture, la nécropole a été recouverte de plantes. Mais si on survolait le jardin à basse altitude, on s'apercevrait immédiatement qu'elles sont anormalement vertes ; d'un vert trahissant une terre boursouflée de phosphate.

La dernière fois que j'ai vu le .357 Magnum à l'œuvre, je devais avoir quinze ans.

Outre la route de la mort, *La Propriété* était bordée par les chasses présidentielles dont elle n'était séparée que d'un grillage. Lorsque la France, histoire d'affirmer son identité couillue, envoyait ses ministres et ses invités buter des animaux innocents, ces derniers venaient se réfugier chez nous dès le premier coup de feu tiré. Le gazon était alors parsemé d'une cinquantaine de faisans et de perdrix ; de gros volatiles surnourris narguant les chasseurs depuis notre pelouse verte. Les rabatteurs tentaient bien de les récupérer, mais à chaque fois qu'ils voulaient pénétrer chez nous, ils essuyaient toujours la même fin de non-recevoir de la part de mon père.

Mais un dimanche, à l'occasion de la visite d'un potentat africain, l'affaire a tourné au drame.

Pour amuser la France-Afrique, on avait fait venir en camion militaire de Chambord plein de pauvres chevreuils pour les lâcher dans la forêt. L'un d'entre eux est parvenu à fausser compagnie aux chasseurs et a sauté par-dessus le grillage pour se réfugier sous notre véranda. Les rabatteurs, cette fois, n'ont pas sonné poliment mais ont envahi *La Propriété* en coupant ledit grillage, suivis du potentat et de sa cour, tous coiffés, comme les sujets de ce tableau du XIXe intitulé *Le Roi Maximilien II de Bavière au retour de la chasse*, de chapeaux surmontés d'une plume de faisan.

Mon père est sorti comme une furie le Magnum à la main, mais voyant qu'il ne pouvait tirer sur personne, il a visé la tête du chevreuil qu'il a fait exploser à bout portant, éclaboussant ainsi de sang les jolis vêtements en tweed du roi nègre.

La France-Afrique a quitté *La Propriété* très mécontente ; mon père avait gâché sa journée.

Cette arme, je savais m'en servir car, en bon colon qu'il était, il m'avait appris son maniement au même âge que lui, soit à dix ans. Je me rappelais encore du recul qui m'arrachait l'épaule alors qu'il me forçait à tirer encore et encore jusqu'à ce que je parvienne à amortir le coup avec mon corps. Ainsi, lorsque mes parents allaient au restaurant, aucune baby-sitter n'égalant un .357 Magnum, ils pouvaient me laisser seule entre l'autoroute et la forêt avec le revolver sur ma table de nuit sans se soucier un seul instant de savoir si j'avais peur ou pas.

Ce vieux compagnon allait retrouver sa place à mes côtés, au cas où.

Ça m'avait pris deux jours et une nuit pour transférer la drogue des éoliennes à chez moi.

Je comprenais pourquoi Khadidja avait parlé à son fils de petits poissons lorsqu'elle l'avait eu au téléphone, la marque de fabrique des Benabdelaziz étant deux poissons placés tête-bêche formant un yin et yang, tatoués sur leur résine. Mais il ne s'agissait là que des pains que j'avais retrouvés en vrac dans le tas de gravier. Le reste, soit les valises marocaines, appartenait aux autres familles dont l'aide-soignante m'avait parlé. D'autres *blazes*, comme ils disent, étaient thermogravés sur les pains. Un tiers des blocs était marqué du logo Audi avec quatre cercles emboîtés, d'autres avec le numéro 10 comme je supposais le maillot du type important d'une équipe de foot, d'autres encore avec un symbole bizarre genre pentagone.

Avant de refermer la porte de ma cave, j'ai fait un pas en arrière pour en admirer l'agencement : il y avait là-dedans une tonne deux de cannabis. Mille deux cents kilos de *frappe* à 5 000 euros le kilo. J'osais à peine faire la multiplication tant j'étais éblouie par ma hardiesse. J'avais charrié une tonne deux sur mon dos. Cinquante-deux valises marocaines de vingt kilos chacune, deux par container hermétique que j'avais rempli un par un au fur et à mesure de leur empilement, ainsi que cent soixante blocs en vrac de un kilo. J'avais même pensé au petit escabeau pliant.

Exténuée, je suis passée au service de soins intensifs gériatriques de l'hôpital pour voir où on en était avec ma mère.

Dans le couloir accédant à sa chambre, j'ai croisé les inévitables familles bivouaquant sous les néons avec thermos, couvertures et Candy Crush, utiles à rien mais là parce que… eh bien parce qu'il faut être là, hein, pour ne surtout pas louper le dernier râle de l'Ancien.

La chef de service, une femme aussi propre qu'anti-pathique, sosie absolue de Nurse Ratched dans *Vol au-dessus d'un nid de coucou*, m'a reçue en m'expliquant comment allaient se dérouler les jours à venir.

– Votre maman n'est pas en fin de vie…

– Là, je crois que vous vous trompez ! Ça fait même un bout de temps qu'elle est en fin de vie, qu'elle souffre et qu'on la bourre de calmants, ai-je rétorqué, amère.

– Elle a recommencé à déglutir, donc à part la dégénérescence maculaire, elle ne souffre d'aucune maladie.

Elle n'a aucune escarre et ses analyses de sang sont celles d'une jeune fille...

– Elle n'a plus de cerveau et encore moins de perspectives et son dos, disloqué à force d'être couchée, lui fait horriblement mal !

– Nous avons refait un scanner, le sang qui s'était répandu dans son hémisphère gauche est en train de refluer. Je pense que l'on va pouvoir la ramener doucement à son état antérieur.

– Antérieur à quoi ? C'est grotesque ! Elle a mal, vous m'entendez... ça fait deux ans et demi qu'elle souffre comme un chien. La directrice de l'EPHAD m'avait assuré que vous la mettriez en sédation profonde...

– Écoutez, votre maman...

– S'il vous plaît, arrêtez de dire *maman* comme si j'étais une gamine de sept ans. Je ne supporte plus ! Tout le monde me parle de *ma maman*, depuis le début de ce cauchemar... Je voudrais qu'un jour on m'explique cette pratique hospitalière débile. Si vous le faites tous, c'est que ça doit s'apprendre à la fac, non ? Infantiliser les gens pour que surtout ils n'étouffent pas *maman* avec un coussin.

J'étais totalement révoltée contre cette entremetteuse de la mort tout en sachant que mon indignation se heurterait à un mur. D'ailleurs elle a continué exactement sur le même ton :

– Votre maman avait des problèmes de déglutition il y a deux jours ; elle n'en a plus ! Si cela avait continué, la question se serait posée de lui mettre une sonde gastrique. L'alimentation artificielle est un traitement et la loi autorise l'arrêt des traitements. Votre maman s'est remise à manger sans problème, elle n'a donc pas décidé de mourir.

– On n'a pas le droit de laisser vivre des gens dégradés à ce point ! Elle délire complètement, elle est aveugle, clouée au lit et là, depuis sa nouvelle attaque, elle vit, et quand je dis elle vit, je pèse mes mots, elle vit terrorisée vingt-quatre heures sur vingt-quatre.

– Votre maman est une survivante des camps…

– Et après ?

– L'éthique nous commande de nous appuyer autant que nous le pouvons sur la volonté des malades même s'ils ne sont pas en état de la formuler expressément. Je pense que lorsque l'on a survécu à une épreuve pareille, renoncer à vivre paraît inenvisageable. J'aurais personnellement opté pour la sonde gastrique.

– Vous auriez opté, dites donc… Vous en savez quoi de ce qu'elle pense ? Vous appartenez à une de ces saloperies de croyants genre Fraternité Saint-Pie-X, c'est ça ?… et il faut que ça tombe sur moi !

Elle fit un geste de la main pour me signifier que le débat était clos.

– Nous allons la garder quelques jours en observation afin de lui redonner un certain confort de vie, et si elle continue à s'alimenter comme elle le fait là, elle retournera en EPHAD.

Je suis restée sans voix.

Et elle a rajouté sur un ton monocorde et glacial :

– Nous ne sommes pas là pour piquer les gens, madame ; si quelqu'un souffre ici, c'est vous.

Sur ce dernier point, elle avait raison.

Je suis rentrée, je me suis couchée et j'ai dormi vingt heures.

Le surlendemain, en feuilletant *Le Parisien* devant mon croissant et mon café au bar du coin, j'ai lu une nouvelle qui m'a attristée et soulagée à la fois : un détenu nommé Afid B. s'était fait égorger la veille à la prison de Villepinte.

Et dire que la plupart des femmes passent leur vie à tenter de s'affranchir de l'exemple de leur mère… Force était de constater que je faisais exactement l'inverse. J'allais même beaucoup plus loin, je collais à l'image que la mienne se faisait de la femme idéale : la Juive intrépide.

4

Caméléon qui louche
n'amasse pas mouche

On était donc fin juillet, le soleil incendiait le ciel ; les Parisiens migraient vers les plages, et alors que j'entamais ma nouvelle carrière, Philippe, mon fiancé flic, prenait son poste comme commandant aux stups de la 2ᵉ DPJ.

– Comme ça on se verra plus souvent, m'avait-il dit, réjoui, en m'annonçant la nouvelle deux mois aupara-vant, le jour de sa nomination.

J'étais vraiment contente pour lui, mais à cette époque je n'étais qu'une simple traductrice-interprète judiciaire et je n'avais pas encore une tonne deux de shit dans ma cave.

Philippe.

Un homme, donc. Le dos large, musclé, un peu empâté avec de belles grosses mains. Un bon visage avec des cheveux fournis, ce qui est rare à cinquante-huit ans. Le genre à qui tout le monde cherche à plaire… que l'on peut mesurer en générosité, en nombre d'amis ou de filleuls… en tout… Dont on peut quantifier le poids social les jours importants comme les anniver-saires ou les pots de départ. Dont l'enterrement promet un cimetière noir de monde.

Physiquement, je n'aurais pas su dire s'il était à mon goût. En tous cas il ne ressemblait pas au seul homme qui avait vraiment compté pour moi, à savoir mon mari qu'on prenait pour mon grand frère tellement nous nous ressemblions. En fait, je n'avais pas vraiment connu l'altérité corporelle avant Philippe. Je ne dis pas que j'ai vécu comme une nonne pendant vingt ans, mais ma vie sexuelle se bornait à des rencontres d'un soir, toujours avec des avocats pénalistes par essence narcissiques, menteurs, coureurs et infidèles... et je parle d'un temps où ils me plaçaient encore dans la catégorie *Milf – mother I'd like to fuck*. Parce qu'une fois la quarantaine passée, c'était fini.

C'est le désir de Philippe pour moi qui a emporté le morceau ; un désir fort et sincère qui brillait dans ses yeux lorsqu'il me regardait et qui aurait emballé n'importe quel être ménopausé...

J'aimais sa présence – qui ne l'eût pas aimée d'ailleurs –, car en plus d'être la probité même, il était intelligent, cultivé et drôle. En associant ma vie à la sienne, je me disais à l'époque que je réussirais peut-être à prendre un peu de sa consistance. Mais lorsqu'il était près de moi ou pire, sur moi, j'avais l'impression d'être comme engloutie au sens propre comme au figuré sans que je sache vraiment si cela me plaisait. Quoi qu'il en soit, c'était un amant prévenant à qui je pouvais demander n'importe quoi et qui était capable de me faire jouir pendant des heures... mais après s'être enquis de ma complète satisfaction, il se blottissait contre moi pour enfouir son visage contre mon cou et glissait béatement dans un sommeil tranquille et reconnaissant. Et là, avec son corps de cheval mort qui me coupait la circulation et me défonçait le dos, sa respiration profonde et chaude qui se condensait sur ma peau... comment dire... je n'avais qu'une hâte, c'était qu'il s'en aille. Une fois, je suis restée dormir chez lui et je n'ai pas fermé l'œil de la nuit. Les couleurs chez lui, sa moquette, tout... bref, j'avais un goût de gras coagulé dans la bouche jusqu'à ce qu'il éteigne la lumière. S'il n'avait pas eu la garde de son fils, je crois qu'il m'aurait proposé de vivre ensemble... et qu'aurais-je répondu ? Surtout que de son côté, il était prêt à toutes les concessions. J'aurais pu dire : *Pardonne-moi, mais je n'aime pas qu'on me colle quand je dors...* ou : *Ta déco me donne envie de vomir*, et il aurait accepté de changer pour me faire plaisir car il était amoureux. Et pas seulement comme on peut l'être à cinquante-huit ans, avec la terreur de vieillir seul, non, il m'aimait avec fougue et gentillesse. Et moi ? De temps à autre, lorsque j'étais soulevée par une de ces vagues de chagrin dont j'avais le secret, ça me réconfortait de sentir la chaleur de son corps, les battements de son cœur. Comme une bête. Mais de là à penser à lui lorsqu'il n'était pas là, de là à l'attendre, de là à lui prendre la main juste comme ça, pour le plaisir de le toucher ? Non !

Nous nous voyions lorsque nos emplois du temps nous le permettaient, avec ce goût de trop peu qui ne donne pas le temps d'approfondir la personnalité et les défauts de chacun. Car des défauts j'en ai plein, mais lui, il en avait un gros : il croyait en Dieu. Philippe, la probité même, un homme intelligent, cultivé et drôle... croyait en Dieu ! C'est que ça me paraît tellement invraisemblable qu'on puisse prêter crédit à des niaiseries pareilles. S'il m'avait confié croire en une destinée humaine gouvernée par un plat de nouilles célestes, j'aurais trouvé ça moins ridicule.

Un jour, alors que j'accompagnais mes filles au muséum d'histoire naturelle, je me souviens avoir croisé un couple de touristes saoudiens : une femme en niqab accompagnée de son mari. À l'époque on parlait beaucoup du créationnisme aux États-Unis et on pouvait lire des conneries du genre : les dinosaures ont disparu parce qu'ils étaient trop lourds pour monter sur l'arche de Noé.

Comme je suis traductrice en langue arabe et que je suis donc censée tout savoir sur les Arabes… et donc sur la religion (il faut savoir qu'en arabe, pas une phrase n'oublie sa référence à Allah), je n'ai pu m'empêcher de me rapprocher de ce couple insolite pour me renseigner sur la question pointue *Islam et dinosaures*. On sentait que le type ne savait pas trop quoi penser de ces immenses bestioles. Il s'est présenté à moi comme professeur de théologie au Collège de la charia à Riyad. Après une longue réflexion à se toucher la barbe, il m'a dit d'un air docte qu'il existait dans le Coran des versets qui parlaient de la création de l'univers en six jours, mais que la longueur des jours n'était pas précisée de manière claire vu que le soleil… les étoiles… tout ça, n'était pas vraiment en place, donc rien n'empêchait d'envisager des jours de plusieurs millions d'années. Par conséquent l'ambiguïté qui en résultait laissait ouverte la possibilité d'une terre très vieille avec ce genre de grosses bêtes dessus. Mais de là à dire que l'homme descendait d'un singe ou d'une bactérie comme le suggéraient les fresques de l'entrée du musée : mécréance ! Pour finir il m'invitait à faire ma Hijrah, soit quitter la France pour aller vivre un Islam sain sur une terre sainte où l'on n'enseignait pas de telles inepties.

Philippe pensait peu ou prou la même chose de l'évolution que cet homme tout droit sorti du Moyen Âge et pourtant il était prêt à lui faire la guerre au nom de la civilisation… Bref, à part considérer la croyance en Dieu comme une forme de dérèglement mental, je ne vois pas…

Les premiers clients de ma nouvelle vie m'ont été servis sur un plateau par le dossier de stups des trois Marocains que je suivais justement à la 2e DPJ. C'était la conjonction parfaite, l'alignement des astres : des types suffisamment abrutis pour ne pas trop se demander d'où je venais et qui avaient un besoin urgent de marchandise en raison d'un *accident de livraison*.

Dans mes traductions, je m'applique toujours à faire du mot à mot. C'est ma marque de fabrique. Je ne perds pas une miette de ce que j'entends, et lors de ma retranscription je m'attache à restituer le ton et le style des conversations afin de ne pas gâcher le plaisir de la lecture. Je confie sur ce point une fascination honteusement patricienne et perverse pour la connerie :

Communication n° 7235 du jeudi 25 juillet. Cette communication est reçue depuis le poste téléphonique de la personne sous surveillance en provenance de la ligne n° 2126456584539 dont le titulaire est non identifié auprès des autorités marocaines. L'utilisateur de cette ligne est Karim Moufti alias Scotch. Son interlocuteur est Akim Boualem alias Chocapic.

Les mots en langue arabe sont traduits par Mme Patience Portefeux requise à cet effet, laquelle signe avec nous ce présent procès-verbal.

Scotch : Viens pas à commencer à me dire des trucs moches style que je suis dedans parce que tu m'as mis dans la même merde que toi. Des phrases comme ça, frère, je peux les accepter d'un inconnu mais pas de toi. Tous les soirs je vais à la chicha et tu me dis : T'inquiète pas, c'est bon t'inquiète... Et voilà mon frère, voilà comment je me suis retrouvé avec du truc qui est tombé dans l'essence. De la merde de chameau qui pue l'essence que tu peux allumer un feu avec tellement ça pue. Même gratuit, ils en veulent pas. Hamdoullah, si toi t'arrives à récupérer tes papiers de ton côté et là je te dis tant mieux, mais moi faut pas me demander de payer des trucs dans cet état... pour moi, c'est poubelle.

Chocapic : Je vais lui enlever de ses mains de fils de pute, mes papiers. Je veux plus rien de sa mère. Je veux plus rien, même pas qu'il s'approche de moi. Je veux plus rien entendre !

Scotch : Il t'a mis un gros doigt dans le fion et tu vas plus jamais revoir un rond. Il faut que tu sois sans pitié, là ! Action réaction.

Chocapic : Je suis dégoûté. J'en dors pas. J'en respire pas. J'en mange pas. Il a disparu avec mes 180 boules pour un mètre de merde... Il m'a mitonné sur la photo, on est d'accord au moins sur ça, non ?

Scotch : Qu'on est d'accord sur ça, ça je suis d'accord, mais le problème, tu vois c'est que t'es trop sûr de toi. T'inquiète pas, c'est bon t'inquiète, je gère le truc... Voilà mon frère, voilà comment tu t'es retrouvé comme le trou de balle de la société. Mais moi j'ai un rendement et là, c'est n'importe quoi ! Je suis en chien

pour descendre et sur le Coran, ça me casse le cul !
Je me retrouve à manger les pots cassés sur mon dos
et ça, ça me stresse, frère.

La clef du trafic de stups, c'est la régularité. Il faut à tout prix assurer l'approvisionnement du produit sans interruption car le client est infidèle et toujours pressé. Lorsqu'un trafiquant ne peut plus fournir, en une semaine la valeur de son répertoire de numéros de téléphone portable (fonds de commerce) dégringole – on parle là de milliers d'euros. La pénurie de marchandise est la maladie chronique du dealer, un peu comme dans la chanson : beaucoup d'interprètes de talent et peu de morceaux de qualité. Pour être toujours sûr de travailler, l'idéal c'est d'écrire, composer et chanter – planter, transporter et vendre.

On comprendra alors le désarroi du crétin en chef surnommé Scotch qui n'a plus en boutique que du cannabis qu'on lui renvoie à la gueule, qui plus est en plein été, alors que tout le monde migre vers les plages avec de quoi fumer dans les valises.

La malchance de son fournisseur Chocapic le met donc sérieusement dans l'embarras.

Ce dernier a accepté une livraison pensant qu'elle était conforme à l'échantillon sauf qu'une fuite dans la voiture du Go Fast a corrompu toute la cargaison, donnant à l'ensemble un goût d'essence. L'infortuné Chocapic a avancé 180 boules pour un mètre, soit 180 000 euros pour cent kilos en toute perte parce que son *business partner* Scotch refuse la livraison non conforme à la qualité qu'il était en droit d'attendre.

Si on tient compte de la marge du grossiste ainsi que du prix, j'en avais déduit que Scotch avait à sa disposition 200 000 euros de liquidités et que la qualité proposée par Chocapic devait être du très mauvais pakistanais.

Je suis descendue au taxiphone en dessous de chez moi et me suis acheté une entrée libre afin de contacter le fameux Scotch par SMS en espérant que cet abruti lise l'arabe :

Cause arrivage récent vends ½ mètre de frappe à 250. Voir photo.

(50 kg de shit qualité frappe à 250 000 euros, voir échantillon.)

Le lendemain la 2ᵉ DPJ m'envoyait, entre autres traductions à faire, mon propre SMS ainsi que sa réponse et la suite de notre échange.

Quel sentiment étrange d'être confronté à ses propres mots ; c'est comme être sur un balcon en train de se regarder marcher dans la rue et marcher dans la rue en même temps.

Cause arrivage récent vends ½ mètre de frappe à 250. Voir photo, avais-je donc écrit deux jours plus tôt.

Ok, avait-il répondu aussitôt.

Puis j'avais rajouté immédiatement :

Contact Quick de Fleury, aujourd'hui, 17 heures. Avec photo.

Je n'ai pas choisi le Quick hallal de Fleury comme point de deal par hasard. Situé sur le carrefour entre la départementale qui va vers Paris et la rue des Peupliers qui passe devant la maison d'arrêt la plus grande d'Europe, ce petit fast-food est le restaurant du tout possible. S'y côtoient les familles de détenus, leurs copains trafiquants et le personnel pénitentiaire musulman fauché. J'allais y manger à l'époque où je traduisais des commissions de discipline au sein de la maison d'arrêt et je me rappelais avoir été frappée par le côté nid de serpents de l'endroit : c'était laid, sale et à la fois extrêmement réactif.

Avant de me rendre à ma réunion de travail, il fallait évidemment que je change de look et surtout que je cache mes cheveux blancs reconnaissables entre mille.

Je me suis beaucoup amusée à me travestir. J'ai opté pour une tenue de blédarde chic : fausses lunettes Chanel griffées noires et dorées, hijab imprimé léopard, khôl et tailleur pantalon avec tunique longue, bracelets dorés (plein) et montre à strass, ongles orange et collants nylon brillants. J'étais méconnaissable. Une femme d'affaires maghrébine très respectable. Un vrai caméléon.

J'ai demandé à un taxi de m'amener sur place et de m'attendre.

À peine arrivée au Quick, j'ai immédiatement reconnu mes interlocuteurs.

Un plaisir pour les yeux.

Porsche Cayenne aux vitres teintées encerclée d'emballages de fast-food jetés par terre et garée sur une place handicapé, rap et climatisation à fond, les portières ouvertes – gros porcs avec collier de barbe filasse sans moustache, pantacourt, tongs de piscine, tee-shirt Fly Emirates PSG flattant les bourrelets, et pour la touche accessoires chic de l'été : pochette Vuitton balançant sur gros bide et lunettes Tony Montana réfléchissantes.

La totale. Le nouvel orientalisme.

– Bonjour, je suis Mme Ben Barka, c'est moi qui vous ai contactés. J'ai de la marchandise qui vient du bled et j'ai entendu par un de vos clients que vous aviez des problèmes avec votre fournisseur.

– Mais vous êtes qui, madame ?

Les trois me regardaient hallucinés, s'attendant à tout sauf à faire du deal avec leur mère.

– Je vous l'ai dit, je m'appelle Mme Ben Barka et j'ai de la frappe d'en bas à vendre.

Silence. Mon regard est opaque. Mes yeux immobiles derrière mes lunettes siglées.

– Ah oui ? finit par plastronner le gros avec le tee-shirt PSG. Karim Moufti alias Scotch que je reconnaissais à son intonation d'idiot.

Je leur ai sorti de mon sac à main un échantillon de 100 grammes.

– Voilà la photo. C'est 4 500 le kilo de frappe mais je fais un geste commercial si vous m'en prenez plus de 50. Je continue à en faire un si vous m'en prenez encore plus.

– Plus, c'est quoi ? m'a demandé Scotch, tenant son échantillon de shit à la main comme s'il s'agissait d'un poulpe mort.

Les Moufti et leurs copains étaient nés en France et ne connaissaient du bled que ses plages. C'étaient des Marocains produits hors-sol ; des Marocains hydroponiques. Émailler leur discours de phrases en arabe par-ci par-là, ça ils savaient vaguement faire, mais soutenir une conversation, ils en étaient parfaitement incapables. Du coup Scotch me regardait fixement en remuant les lèvres en même temps que je parlais. On sentait à ses yeux dilatés par la vapeur qui s'échappait de son cerveau que dans sa tête ça chauffait dur.

– Déjà on commence par 50 pour 225, ce qui fait 4 500 le kilo, ce qui est le prix espagnol pour cette qualité. Le transport jusqu'en France c'est cadeau, mais il ne faut pas me prendre moins. Si vous faites le 10 à 60, ça vous fait déjà 75 000 de marge. Je travaille sans saraf donc je veux l'argent direct et s'il me manque un papier, je ne travaille plus jamais avec vous. Voilà. Vous avez mon numéro.

– Plus c'est quoi ? m'a redemandé Scotch totalement hypnotisé.

Mais qu'est-ce qu'il pouvait avoir l'air con !

– Plus c'est plus. C'est beaucoup plus. Mais déjà que tout se passe bien entre nous et après, on voit.

Et je suis repartie avec mon taxi. J'ai regardé dans le rétro, les trois n'avaient pas bougé, droits comme des *i* dans leurs tongs de piscine.

Les traductions que j'effectuais ensuite faisaient chaud au cœur : c'est sympa de se dire qu'on dispose d'un bon produit.

Communication n° 7432 du mardi 3 août. Cette communication est reçue depuis le poste téléphonique de la personne sous surveillance en provenance de la ligne n° 2126456584539 dont le titulaire est non identifié auprès des autorités marocaines. L'utilisateur de cette ligne est Karim Moufti alias Scotch. Son interlocuteur est Mounir Charkani alias Lézard.

Les mots en langue arabe sont traduits par Mme Patience Portefeux requise à cet effet, laquelle signe avec nous ce présent procès-verbal.

Scotch : Sur la vie de ma mère, c'est de la patate de chez patate. Tu sens la terre du bled carrément c'est bon, t'as des sauterelles qui te sautent sur la tête. C'est la campagne... *(Rires.)*

Lézard : T'as trop fumé, frère.

Scotch : Vas-y, moi je bosse toute l'année avec la daronne chelou, là. Je réfléchis même pas si c'est une keuf ou quoi. Elle est tellement patate que je vais te la faire à 8.

Lézard : Tu peux pas t'empêcher de gratter plus haut que ton cul, frère. *(Rires.)* Laisse voir. Je vais déjà montrer une photo comme ça à mon cousin des bagnoles.

Scotch : Tu sais ce qu'il m'a dit Brandon de mes couilles là du 12 que je lui ai montré sur la photo... Il a pas fait ses manières. Ta conso elle déchire sa mère, je passe commande tout de suite, qu'il m'a fait comme ça...

Lézard : Vas-y...

Scotch : Fais les deux pierres d'un coup, là avec ton cousin, frère. Le Tunisien. On bouge à Paname. On fait une chicha au Prince et on se met en mode réunion, tu vois parce que là, je la sens à cent pour cent. Tu peux déjà leur dire de ramasser les papiers tout autour pour un mètre, moi je te dis.

J'étais obligée de laisser le mot *daronne* dans le procès-verbal car il figurait en français dans le texte qui m'était soumis. Cela m'a ennuyée sur le coup, mais finalement je me suis dit que j'avais trouvé là mon pseudo de criminelle. Mon blaze serait donc *la Daronne*. Je supposais que la PJ m'avait déjà repérée comme telle dans les nombreux échanges en français qui ne passaient pas par mon filtre. C'est que ça bavardait beaucoup au téléphone autour de mon shit ; il faut dire que ce n'est pas tous les jours qu'une si grande qualité tombe entre les mains de dealers à ce point à la ramasse.

J'ai réfléchi à l'endroit où les transactions pouvaient avoir lieu. Il me fallait à la fois un endroit discret et sûr, mais également un lieu où il y ait suffisamment de monde pour que je sois en sécurité car je ne voulais pas que mes interlocuteurs, au mieux me braquent pour me reprendre l'argent qu'ils venaient de me donner, au pire me torturent pour me faire avouer où je planquais le reste de la drogue. Un endroit où l'on puisse donner de gros sacs à des Arabes sans attirer l'attention d'une voiture de patrouille qui comme ses milliers de petites sœurs sillonne la région parisienne, état d'urgence oblige. Le parking du Quick étant petit donc trop exposé, j'ai carrément opté pour celui de la prison de Fleury où vont et viennent des familles de détenus chargées de sacs. Cela peut paraître étrange comme endroit pour faire du trafic de drogue, mais il n'y a pas meilleur lieu pour se noyer dans la masse.

J'ai mis mes deux sacs Tati sur des trolleys pour ne pas me bousiller le dos puis je les ai chargés dans ma voiture à l'intérieur du parking de mon immeuble. J'ai sorti ma voiture et j'ai changé d'arrondissement pour me garer. Là, j'ai prévu un taxi pour qu'il m'embarque avec les sacs jusqu'à Fleury, puis j'ai demandé au chauffeur de m'attendre à la lisière de l'immense terre-plein avec les deux gros sacs en toile plastique de vingt-cinq kilos dans son coffre afin de retrouver mes soi-disant neveux qui ne répondaient pas au téléphone.

Une fois arrivée au parking, j'ai marché vers le Cayenne garé à l'autre bout. Respiration, concentration. Enfant, j'ai appris à passer les frontières avec un écriteau UM autour du cou, ma doudoune rose rembourrée de billets de cinq cents francs. Le secret est de soumettre chaque molécule de son corps à son cerveau.

C'est comme le vélo, ça ne s'oublie pas et ça n'est pas à la portée de tout le monde.

Je suis montée dans la voiture aux vitres fumées et j'ai sorti de mon sac à main une compteuse de billets à piles. Le problème est qu'il y avait une énorme quantité de 10 et de 20 et qu'il m'aurait fallu des heures pour en venir à bout.

– Les petites coupures, je ne prends pas !

– De l'argent, c'est de l'argent, m'a répondu Scotch vexé, en arabe.

Il avait dans son ton quelque chose qui me déplaisait souverainement. Comme une menace sous-jacente, genre *tu vas le prendre mon fric, sale pute* et ça, chez les hommes et en particulier chez les gros porcs de cent dix kilos qui serrent les poings lorsqu'ils sont contrariés, je ne supporte pas. Ça me donne envie de les humilier.

– Là, les 10, les 20 et les 50... c'est un truc de crevards. Je travaille au minimum avec des 100. Dis-moi tout de suite si t'es un crevard pour pas que je perde mon temps.

Le mot *crevard*, je l'ai dit du bout des lèvres en français avec un accent marocain à couper au couteau. C'était jouissif.

Le problème des trafiquants, c'est que le deal de rue se fait avec des 10 et des 20 euros. Les sommes qu'ils drainent forment vite des montagnes de billets qu'il faut échanger pour des grosses coupures et cela ne peut se faire qu'au travers d'un circuit de blanchiment. En qualifiant Scotch de *crevard*, je le ravalais à sa qualité de dealer de rue, lui qui se rêvait en Tony Montana. Ma requête l'obligeait en outre à réduire sa marge en achetant 10 euros chaque billets de 100.

– Ok, là j'ai 112 500, du coup vous n'aurez qu'un sac sur deux. Je prends exceptionnellement 500 billets de 50 pour faire l'appoint, mais c'est la dernière fois. Tout le reste, c'est de la merde.

– On veut compter.

– Pas de problème. Je fais aussi en valise de 20… Si je vous dis ça, c'est pour la revente en gros… C'est plus pratique. Puisque vous voulez compter… Vous, là…

Je désignais celui qui devait être Mohamed Moufti, alias Momo, le petit frère de Scotch.

Le chauffeur de taxi – ma main à couper qu'il avait au minimum un frère en prison (je dis ça parce qu'il m'a parlé au cours du trajet d'*incarcération*. Je fais très attention aux mots, c'est mon métier, et ce mot on ne le prononce que lorsqu'on travaille dans la justice ou lorsqu'on a affaire à la justice)…

Le taxi, donc, ne trouvait rien d'anormal à ce que dans un endroit où tout le monde se traîne avec de gros sacs Barbès remplis de linge, un jeune Marocain aide sa daronne à porter les siens. Une fois qu'il m'a sorti un des deux sacs du coffre et qu'il est retourné s'asseoir, je l'ai ouvert comme si j'en faisais l'inventaire pour montrer au frère de Scotch les 25 paquets de un kilo bien rangés. La transaction était terminée et chacun est reparti de son côté.

– Si je trouve les papiers pour encore un mètre avant le 15 ? m'a demandé Scotch par téléphone alors que j'étais encore dans le taxi.

– Je le fais à 4 pour un mètre et demi, que des 100 et des 200, sinon rien du tout, ai-je répondu sans fioriture en me disant que je traduirais cet échange le lendemain.

Ceci étant, la fête organisée le soir même par Philippe pour célébrer sa prise de poste ne pouvait pas plus mal tomber. Moi qui m'étais fait une fête de rentrer chez moi pour sortir mon chien et tripoter mes cent douze mille euros, je devais faire bonne figure dans un café du XXe arrondissement rempli à ras bord de flics. J'étais frustrée et de mauvaise humeur.

Lorsque je suis arrivée, ses collègues hommes et femmes conversaient avec lui tout en buvant disgracieusement leur bière à même le goulot. Je me suis servi un… je ne sais pas trop, c'était blanc, tiède, alcoolisé, avec des bulles et je me suis collée dans un coin en attendant que ça se passe.

Ce n'est pas que je sois particulièrement snob, mais ils ne me font plus rire, tous ces flics, avec leurs blagues bancales que je connais par cœur. En plus, je n'aime pas boire de la piquette. Avant d'être *juste* comme on dit, si on m'avait demandé si j'aimais le champagne, je n'aurais pas su répondre. Disons que c'était mon habitus d'en consommer, ce qu'on m'avait toujours servi lorsque je tendais mollement mon verre. Mais après vingt-cinq ans d'improbables pots à me voir proposer du crémant, de la clairette ou je ne sais quel mousseux dégueulasse, j'aurai au moins compris que le champagne, eh bien ça n'a rien à voir avec toutes ces merdes ! Comme quoi.

Je sentais les yeux de Philippe rivés sur moi et ça me mettait mal à l'aise :

— Quoi ? ai-je fait, presque agressive.

— Rien, avait-il répondu. Je te regarde. Ça n'est pas tous les jours que j'en ai l'occasion. J'en profite.

Ses yeux rayonnaient de tendresse.

– Y a un truc vachement paradoxal chez toi, tu baisses systématiquement les yeux quand on te parle, comme si tu étais timide, pourtant tu dégages une confiance à fracasser les murs… comme de la très très grosse racaille en fait.

J'ai salué intérieurement sa clairvoyance en notant qu'il me fallait être un peu plus ouverte – sans aller jusqu'à me la jouer *Crime et Châtiment*, évidemment.

– Il faut que je prenne ça comme un compliment, je suppose.

Il m'a souri gentiment :

– Bien sûr, parce que je n'ai que des compliments à te faire… Tu ne m'as toujours pas dit où tu avais vraiment appris l'arabe.

– Plein de fois, je te l'ai dit : j'ai le don des langues et j'ai étudié !

– Figure-toi qu'hier, un des Marocains que j'ai interrogés à propos du meurtre du jeune stupeux a demandé après toi *in personam*… Il ne voulait rien entendre, il te voulait, toi ! D'après lui tu traduis mieux que personne.

– Quel meurtre ? Quel jeune ? Quel Marocain ? Je ne sais pas de quoi tu me parles !

… et c'était vrai, sur le moment, je ne savais pas du tout à qui il faisait allusion, quand tout à coup le chauffeur avec lequel Afid Benabdelaziz est remonté du bled m'est revenu en mémoire. Je l'avais complètement oublié, celui-là.

– C'est pourtant pas vieux, l'arrestation des trafiquants de stups du 14 Juillet… Même moi qui n'étais pas encore en poste à ce moment-là, je suis au courant…

– Oui, oui, il s'est passé tellement de choses depuis… Ma mère… l'hôpital…

– Le chien…

– Oui, le chien aussi !

– C'est bien ce que tu as fait pour cette pauvre bête… Si tu as besoin d'un coup de main pour le garder, on est là !

– Je l'aime vraiment beaucoup.

– Un des gars du trafic s'est fait égorger en prison.

– Comment je l'aurais su ?

– Tu aurais pu le lire dans le journal !

– Dans *Le Monde diplo* ?

Il rit.

– Dans tous les journaux, sauf *Le Monde diplo*. C'est sûrement un règlement de comptes parce qu'une semaine avant, sa mère s'est fait attaquer devant chez elle. On n'a pas pu en savoir plus parce qu'elle est morte d'un infarctus.

– Oui, oui, je m'en souviens, c'est les Marocains qui en remontant d'Espagne ont largué leur cargaison en route… Quelqu'un doit avoir récupéré la drogue à l'heure qu'il est.

– Probablement, mais quelque chose me dit que ce ne sont pas ses légitimes propriétaires, parce que ça bavarde beaucoup sur la question dans le milieu, surtout qu'ils transportaient pour d'autres… Bref, le chauffeur marocain ne voulait rien savoir.

– Et du coup, tu as fait quoi…

Le chauffeur… Merde… mais qu'est-ce qu'il pouvait bien me vouloir ?

– Il est reparti en cellule. Le juge d'instruction le réinterrogera. On a le temps. Rappelle-toi, ils sont tous en procédure criminelle avec un mandat de dépôt d'un an, alors personne n'est pressé. Ils t'appelleront. J'ai mis une petite note dans le dossier… Donc, tu ne m'as pas répondu, tu as appris l'arabe où ?

– Bon, c'est ma nounou qui m'a appris à parler de six à dix-sept ans. Après, j'ai fait des études.

– Mon fils aussi, c'est une Algérienne qui s'en est occupée. Elle s'adressait à lui en arabe alors il connaît quelques mots, mais de là à le parler…

– En fait c'était un nounou, et il ne s'est pas occupé de moi, il m'a élevée.

– Ah oui ?

– Oui, un homme.

– Il s'appelait comment, ton nounou ?

– Bouchta.

Je n'avais pas prononcé ce nom depuis très très longtemps. En tout cas pas à voix haute parce que parfois ça m'arrivait de l'appeler dans mon sommeil quand je faisais de mauvais rêves. Curieusement depuis que toute cette histoire est terminée, je n'en fais plus, mais à ce moment-là, alors que j'étais en train de reprendre ma place après vingt-cinq années de léthargie dans le continuum mafieux de ma famille, mon cerveau faisait comme une vieille éponge ; lorsque je pressais, des tas de souvenirs en sortaient…

Bouchta…
Ô mon Bouchta… Mon cher Bouchta.
… Piètre femme d'intérieur, ma mère ne faisait absolument rien à la maison, et surtout pas le ménage. Mon père ne lui en tenait pas rigueur, au contraire, la femme d'un pied-noir à qui la réussite a souri ne devait pas se casser les ongles à récurer des casseroles. En revanche, elle devait savoir tenir son personnel – ce qu'elle ne faisait pas non plus. Ainsi, si j'avais à tracer la frise

chronologique de ma petite enfance, elle consisterait en une succession de bonnes, d'engueulades, d'accusations de bris ou de vol et de portes claquées. Donc, exaspéré par le bordel permanent qui régnait chez nous, après la Portugaise détestée par notre doberman, la Polonaise sourde et la souillon de la Creuse, mon père décida de régler une fois pour toutes la question de la domesticité et partit en Tunisie pour y acheter Bouchta.

Son précédent propriétaire était un de ses vieux amis colons restés au bled après l'Indépendance. Celui-ci pratiquait encore le *khemmessat*, un type de servage médiéval qui consistait à attacher un homme à un bout de terre par une dette inextinguible. Mon père avait dû racheter très cher ladite dette car il se plaignait à tous ses vieux amis tunisiens qui vivaient en France que *son melon lui avait coûté bonbon*... Ainsi les épouses des colons nostalgiques de leurs Mauresques laissées au pays seraient toutes jalouses de ma mère qui nagerait dans le luxe en possédant à la fois de l'électroménager et un esclave pour le mettre en marche.

Bouchta ne travaillait pas la terre mais s'occupait du ménage et de la cuisine. Il était ce que Malcolm X appelait *un nègre de maison* en ce qu'il acceptait comme un état naturel le commandement des Blancs. Pour tout dire, je ne vois pas d'autre explication au fait qu'il ne nous ait pas tous assassinés, chien compris, dans notre sommeil après le *Bouchta, asba !* de trop de la part de mon père – *asba* étant le mot le plus vulgaire en langue arabe qu'on puisse imaginer ; quelque chose comme *ma bite dans le cul de ta mère*, utilisé par les colons comme simple ponctuation à leur discours.

Bouchta, asba, la soupe ! Asba, fissa, le fromage !

Sur la question de l'appartenance à l'espèce humaine du pauvre Bouchta et des Arabes en général, mes parents pour une fois étaient d'accord.

Pour ce qui était de mon père dans la cascade de racisme anti-juif, anti-maltais, anti-italien, et même anti-pied-noir au sommet de laquelle il se plaçait en tant que colon tunisien, l'Arabe n'avait aucune place. Comment en aurait-il eu une, d'ailleurs, n'étant pas considéré comme une personne mais comme une machine agricole malcommode et rétive. Un *burnous* – comme dans *faire suer le burnous*, image de la viande qu'on fait suer sous l'habit pour en tirer le maximum de jus.

Grâce à la présence de Bouchta, *La Propriété* ÉTAIT enfin la Tunisie comme la Seine EST le Mékong pour Marguerite Duras, avec cette force d'affirmation qui fait s'ouvrir un passage mental entre deux lieux qui n'ont strictement rien à voir.

Mon père beuglait joyeusement des invectives en yaourt-arabe à son nouveau jouet qu'il avait déguisé en Nestor de Tintin avec gilet à rayures et nœud papillon. Il avait planté un figuier et s'était mis à réécouter Lili Boniche et Reinette l'Oranaise assis sur un pouf oriental, malgré ses problèmes de lombaires.

Au dîner, il y avait des poivrons à l'huile et du poulet aux olives… avec en dessert du strudel car l'Autriche était solennellement entrée en résistance.

La première fois que ma mère a vu Bouchta, elle me ramenait de l'école. Alors qu'il nous accueillait tout sourire en ouvrant le portail, elle a poussé un petit cri d'effroi : *Oi gevald, ein negger !* « Quelle horreur, un nègre », en yiddish. Car Bouchta, né au Maroc près de la frontière mauritanienne, en plus d'être arabe était noir. Et ma mère, née près de la frontière yougoslave, n'avait vu son premier Noir que grimé en cannibale, à l'âge de quatorze ans dans un cirque itinérant. Elle était au-delà du racisme, en deçà de la controverse de Valladolid dans le sens où les Espagnols de la Conquista se posaient au moins la question de savoir si les Indiens avaient une âme.

Dès le premier jour, elle s'est employée à le chasser comme la vilaine araignée noire qu'il était.

Pour commencer elle l'accusait de mille maux : il faisait une cuisine trop lourde, ce qui était faux. Il nettoyait mal, il faisait rétrécir le linge, ce qui était également faux… Il lui faisait incommensurablement pitié, ça c'était vrai : être le nègre d'une maison lugubre au bord d'une six voies au service d'un fou qui vous parle comme à un chien, qui vous paye une misère, tout en vous obligeant à enterrer des cadavres, c'était terrible.

Pendant onze années, elle a cherché désespérément la faille sans la trouver. Bouchta était doux et servile. Les armoires étaient remplies de piles de linge impeccablement plié qui sentait bon la lavande et le potage sur la table était au degré près à la bonne température pour que mon père puisse dîner comme il aimait, soit en quatre minutes.

Et puis un jour, elle a trouvé.

À soixante-cinq ans, Bouchta a demandé à prendre son dimanche vu qu'il se faisait vieux et qu'il avait besoin de repos. Le matin il partait, avec un sac en plastique, du gourbi qu'on lui avait gracieusement aménagé au fond du jardin, et une fois dépassé le portail de *La Propriété*, au lieu de prendre à gauche vers la gare, il obliquait à droite vers nulle part pour disparaître jusqu'au soir dix-neuf heures.

— C'est bizarre, non, tu ne trouves pas, qu'il tourne à droite ? hasarda-t-elle un soir à mon père.

— Il a dû repérer d'autres bicots par là-bas, rétorqua ce dernier en faisant un signe vague en direction d'un néant autoroutier.

Et puis un jour par hasard, nous l'avons aperçu au-dessus de nos têtes, sur le pont surplombant l'A13, et quatre heures après nous l'avons revu au même endroit, dans l'autre sens.

Ma mère renifla la faille :

— Pourquoi n'allez-vous pas à Paris rencontrer d'autres gens comme vous au lieu de regarder passer les voitures sur le pont de l'autoroute ?

— Comme je ne sais pas lire, j'ai peur de me perdre si je pars d'ici, avait-il répondu avec sincérité.

Dès le lendemain Bouchta avait son *Daniel et Valérie* et ma mère s'est mise à le couver comme s'il tentait le concours de Normal Sup.

— *Les oies boivent dans la mare… La mule est dans l'écurie…* scandait-elle avec son accent juif à couper au couteau.

— *Les oies boivent dans la mare… La mule est dans l'écurie…* répétait Bouchta avec son accent arabe.

Il aimait beaucoup ces phrases, les premières qu'il eût jamais lues et qui lui rappelaient sa ferme tunisienne. Il les mettait à toutes les sauces en rigolant, surtout lorsqu'il s'adressait à moi, la seule personne qu'il voyait de la journée.

En un mois, il déchiffrait les panneaux. En quatre, il pouvait lire le journal. Et au bout de six mois, un matin, sans dire au revoir, sans prévenir, il n'était plus là.

Il est parti rejoindre d'autres gens comme lui, il est heureux maintenant, me disait ma mère à la manière dont on console un enfant dont l'animal de compagnie, pouilleux et encombrant, s'est enfin sauvé. Comme je la haïssais… Elle me parlait comme à une gogol de l'homme qui m'avait habillée, lavée et nourrie. Qui m'avait vue grandir. Qui avait été le confident de toutes mes joies et mes peines. Mon père et ma mère à la fois, le seul être pourvu d'humanité dans toute ma famille. Tout ce que je savais faire de plaisant dans la vie, c'était à lui que je le devais, car il était gentil et patient ; de la patience de ceux qui vivent en harmonie avec les arbres et les saisons. En plus de parler le dialecte marocain et tunisien et de faire les cornes de gazelle, il m'a appris à soigner les animaux et à me diriger dans le noir grâce aux étoiles.

Encore maintenant, lorsque je croise un *chibani*, je ne peux m'empêcher de le dévisager à la recherche dans ses traits du vieux Bouchta, même si je sais que c'est absurde, car il aurait plus de cent ans.

Le lendemain de son départ, ma mère s'était déguisée en nettoyeur de scène de crime avec imperméable, gants en caoutchouc et masque devant la bouche pour éradiquer mon cher Bouchta et du même coup cette filiation bâtarde que sa fainéantise à m'élever avait contribué à créer.

Elle a lavé les murs de la pièce où il avait dormi avec un mélange de lessive Saint-Marc et d'eau de Javel et a brûlé tous ses meubles et les quelques pauvres affaires qu'il avait laissées. Il ne me restait de lui qu'un caillou. Un banal caillou noir qu'il avait trouvé en marchant et sur lequel il y avait un curieux dessin. Même celui-là, elle a réussi à me le faucher et à le mettre à la poubelle.

Puis, comme s'il n'avait jamais séjourné chez nous, elle s'est remise à sa collection de femmes de ménage à problèmes.

Ce soir-là, un peu saoule, j'ai raconté à Philippe une version light de cette histoire et cela m'a fait plaisir.

5

Dans une heure tu auras encore faim

En composant mes liasses, je suis tombée sur un billet « écrit » de deux cents euros qui s'était glissé parmi ceux que m'avait donnés Scotch. En général ces billets étaient des petites coupures de cinq sur lesquels on lisait des messages écrits à la main dans toutes les langues du genre *l'argent est roi, la dette souveraine, le peuple déchu... Politicos y banqueros, una disgracia para la nación... Au nom de la loi, je vous endette...* De jeunes utopistes rêvant de gripper la machine y apposaient leur marque avant de les relâcher dans la masse monétaire européenne comme autant de grains de sable. Que ces billets atterrissent entre les mains des trafiquants de stups, parangons du capitalisme, ne manquait pas d'ironie.

Jamais, en revanche, je n'en avais vu un d'une telle valeur. Qu'avait en tête la personne qui avait marqué « *dans une heure tu auras encore faim* » sur une si grosse coupure, au risque de se la faire refuser ?

Fièrement, j'ai placé mon billet si particulier de deux cents euros au coin du cadre de *La Petite Collectionneuse de feux d'artifice* comme un vendeur de hot-dogs new-yorkais encadre son premier dollar. C'était officiel : le commerce de la Daronne était ouvert...

Communication n° 8635 du mardi 8 août. Cette com-munication est reçue depuis le poste téléphonique de la personne sous surveillance en provenance de la ligne n° 2126456584539 dont le titulaire est non identifié auprès des autorités marocaines. L'utilisateur de cette ligne est Karim Moufti, alias Scotch. Son interlocuteur est Mounir Charkani, alias Lézard.

Les mots en langue arabe sont traduits par Mme Patience Portefeux, requise à cet effet, laquelle signe avec nous ce présent procès-verbal.

Lézard : Ouais, salam aleikoum, bien ou quoi ?

Scotch : Ça bosse hamdoullah, la routine (rires), sauf que là, Brandon, sa mère, maintenant il veut 60. Je lui ai dit : déjà c'est ramadan et la Daronne je lui ai demandé comme ça, pour un, tu vois, avec 70 pour ouam et 30 pour oit et j'sais pas si elle va pouvoir plus... s'il veut plus, l'enculé de sa mère, qu'il me donne l'argent pour plus, déjà. Et balle 4,7. Et synchro, parce que l'affaire elle est calée, là.

Lézard : Ouais, ouais... De moi t'auras les papiers, frère. L'autre César, là, il m'a ramené balle 9.

Scotch : C'est tout ?

Lézard : Quoi c'est tout ! Vas-y, j'ai déjà balle 80 et le reste il me le ramène demain : balle 41 et après je veux mes affaires. Sur le Coran que tu me les ramènes en priorité à 4,2.

Scotch : T'es mon frère, sur le Coran. Je sais qu'avec toi c'est satisfait ou remboursé. J'ai demandé quatre valises plus vingt ce qui fait rond un mètre. Et il y en aura une pour toi plus dix, sur la vie de ma mère. Et si tu vois Brandon de mes couilles, tu lui dis que j'ai besoin de papier pour avancer dans ma vie.

Lézard : Sur le Coran de la Mecque.

Scotch : Sinon il n'a qu'à continuer avec sa patate de smicard... Tu lui dis, sur le Coran !

Lézard : Dès que j'ai le truc, je descends et je ramasse un bon 200 vers fin septembre pour deux valises.

Scotch : Attention aux coupures.

Lézard : Tranquille.

Scotch : Ça marche, frère.

Communication nº 8642 du mardi 8 août. Cette communication est reçue depuis le poste téléphonique de la personne sous surveillance en provenance de la ligne nº 2124357981723 dont le titulaire est non identifié auprès des autorités marocaines. L'utilisateur de cette ligne est Mounir Charkani, alias Lézard. Son interlocuteur est Rafik Hassani.

Les mots en langue arabe sont traduits par Mme Patience Portefeux, requise à cet effet, laquelle signe avec nous ce présent procès-verbal.

Lézard : Allô, ouais, alors...

RH : Alors c'est pas bon. Le mec, il m'a dit que c'était bon... mais pas tout de suite...

Lézard : Ne parle pas d'un truc qui n'est pas bon. Parle-moi de ce qui est bon. Ce que tu me dis c'est que c'est woualou encore de ton côté.

RH : Ouais, ouais pour l'instant c'est woualou encore.

Lézard : Vas-y cousin, même quand t'as une solution en bas de tes pattes c'est de la merde ! Qu'est-ce que tu veux que je te dise... Il me faut mes papiers ! J'ai pas le temps d'attendre et toi tu prends ton temps. Tu crois que c'est la fête, mais c'est pas la fête, frère, c'est la merde ! J'ai des échéances.

RH : De toute façon il me reste un autre type à voir qui a balle 12 à moi dans ses mains.

Lézard : Traite sa mère, traite sa grand-mère, traite qui tu veux, j'en ai rien à foutre, frère, mais faut que ça vienne !

RH : Même moi, ça me stresse...

Lézard : Encore heureux que ça te stresse... t'as vu la photo, frère, y a un million de culs qui me lèchent le cul que je leur donne des affaires, que je leur donne même pas parce que c'est toi que j'attends ! Alors dépêche-toi d'être opérationnel et ne viens pas me dire encore une fois que c'est juste une question de temps.

Des conversations comme celles-ci, j'en avais au moins une vingtaine à traduire à chaque session, et compte tenu de l'écart entre les numéros figurant au coin des rapports, j'en déduisais qu'il y en avait eu plus de deux cents du même type en quelques jours entre les différents protagonistes de ce trafic.

Ça bossait dur, dans la galaxie Scotch, à réunir mon argent.

Malheureusement ces crétins, pressés par l'appât du gain, cessaient de prendre ce qu'ils imaginaient être des précautions pour communiquer et parlaient en français ; du coup il y avait de moins en moins de phrases en arabe dans leurs conversations, ce qui faisait que je ne pouvais plus rien contrôler de leurs activités.

Le 15 août, j'ai donc organisé une seconde livraison dans un lieu qui sentait encore plus la guillotine que le parking de la maison d'arrêt de Fleury : le quai de l'Horloge, devant le Palais de Justice, pile face à la sortie du dépôt. Scotch m'avait suppliée de lui accorder une semaine supplémentaire pour lui permettre de réunir la totalité de la somme ; semaine que je lui ai évidemment refusée, lui raccourcissant en prime son délai de deux jours rien que pour avoir osé demander – le jeu du capitalisme, je connais, eux aussi : c'est le plus immonde qui force le respect.

Encore avec un taxi et toujours avec le même bobard : *j'ai rendez-vous avec mes neveux*, je me suis rendue à notre rendez-vous où ils m'attendaient non plus à trois mais à cinq dealers. D'autres versions de Scotch : gouapes islamistes barbues, paupières lourdes cachant à demi un regard d'une époustouflante connerie ; un petit gros et un grand mince dont l'un s'avérait être – je l'ai reconnu à sa voix – le fameux Lézard.

L'échange a été incroyablement fluide. J'ai réussi à fourguer quatre valises marocaines sous la forme de deux énormes sacs à roulettes de quarante kilos plus vingt kilos en vrac contre quatre cent cinquante mille euros en billets de cinq cents et deux cents. Comme Scotch était bon élève, j'ai montré ma satisfaction en lui rajoutant dix kilos que je portais avec moi dans un sac de sport, en geste commercial. On a très peu parlé tellement ils étaient tous pressés de disparaître de ce lieu peuplé de flics qui nous regardaient avec bienveillance, nous la gentille petite famille arabe transvasant des soi-disant sacs de linge pour un pauvre type qui était en train d'être jugé.

… Mais qu'est-ce qu'ils étaient trognons, mes neveux ! Au moment de partir, je me suis offert le luxe de pincer la joue des deux frères Moufti en prenant à témoin les gardes mobiles, en mode tata-gâteau, pour leur montrer à quel point je les aimais.

J'ai réinstallé ma mère dans son mouroir comme si elle n'en était jamais partie, moyennant l'embauche d'une extra, Anta, une jeune femme de Madagascar, que j'avais cette fois les moyens de payer à la hauteur de son dévouement. La directrice m'a rendu le carton contenant ses affaires et la peluche Schnookie a repris sa place à son chevet. Et dans le couloir j'ai à nouveau croisé Mme Léger. La pauvre ne disait plus un mot et avait hérité de son escapade une fissure du col du fémur, ce qui ne l'empêchait pas de continuer à tourner en rond tel un crustacé furieux, en poussant devant elle un déambulateur en aluminium.

En sortant des *Éoliades*, j'ai trouvé ses deux enfants assis sur un banc en train de se disputer. La fille Léger pleurait à chaudes larmes tandis que son frère lui hurlait dessus en s'arrachant la peau des ongles avec les dents, le visage décomposé par l'anxiété. Une infinie tristesse se dégageait de ce couple de quinquagénaires qui trimbalait depuis neuf mois sa douleur comme on charrie un panier à deux anses. On avait récemment mis leur père à mon étage et peu importe l'heure à laquelle je passais devant sa chambre, je le voyais toujours pendu vers l'avant, sanglé à son fauteuil, et il pleurait.

– Ils disent que les vieux doivent s'hydrater, mais je trouve régulièrement non entamées les petites bouteilles d'Evian que je lui apporte parce que personne ne lui donne à boire… Et les jours où je ne suis pas là pour le nourrir, on lui pose le plateau-repas dans sa chambre et on ferme la porte. *Bon appétit, monsieur Léger*, mais qu'il mange ou non, tout le monde s'en fout… Et ma mère, vous avez vu comment ils l'ont habillée ? Elle porte un pull en laine alors qu'il fait 35… Et la fugue…

Elle a été heurtée par une voiture sur la rampe d'accès du périphérique, comme un chien... Vous vous rendez compte si elle était allée plus loin ? Et la directrice qui nous demande de rembourser le bracelet antifugue qu'elle a arraché... Mais où passe tout ce qu'on paye ?

Chaque doléance contre l'institution relançait et nourrissait les sanglots de la fille. Ça aurait pu durer des heures tant la situation de cette famille, que je connaissais par cœur, était atroce.

– C'est toujours comme ça l'été avec le personnel en vacances. Si vous voulez on peut partager l'extra que j'ai prise pour ma mère...

– Oh oui, ça serait fantastique... me fit-elle, les yeux pleins de reconnaissance.

Son frère est immédiatement intervenu pour m'expliquer qu'ils n'en avaient hélas pas les moyens. Leurs deux familles resteront à Paris cet été et ils se relayeront au chevet de leurs parents :

– On n'a plus un centime. La retraite de mon père couvre à peine la moitié de ses frais, quant à ma mère, tout sort de notre poche. On passe notre temps à compter l'argent. On s'est renseigné ici pour la tutelle, mais tout le monde nous dit que c'est une usine à gaz. D'abord il faut attendre un an pour avoir un juge et une fois que la décision est prise, les comptes sont bloqués et on ne peut plus retirer un centime pendant des mois sauf à avoir son autorisation qu'il ne donne jamais parce qu'il est débordé ou en vacances.

– Vous faites comment pour payer, alors, vous imitez la signature de vos parents pour sortir de leurs comptes l'argent de leur retraite, c'est ça ?

– C'est tout à fait ça !

– On en est tous là, vous savez...

– Il nous faut au minimum dix mille euros par mois pour tout payer. C'est énorme. Le notaire nous a conseillé de mettre en vente leur appartement en viager pour encaisser la rente sur nos comptes. Ça fait six mois qu'on a posté l'annonce sur Internet, mais ça n'intéresse personne un viager aussi cher. Bientôt, c'est le mien, d'appart, que je vais devoir vendre pour régler ce que nous coûte cette maudite maison de retraite.

– Ils habitaient où, vos parents ?

– Dans un trois-pièces de 72 mètres carrés rue Monge.

– Moi, ça m'intéresse ! Je vous le dis franchement, je suis prête à vous payer ce que vous voulez par mois du moment que le bouquet du viager soit vraiment tout petit.

L'espoir renaissait dans leurs yeux.

– … Du coup vous pourriez prendre pour eux deux une extra à plein temps et vous relayer pour que l'un d'entre vous au moins parte en vacances… Mais il faut que vos parents signent la vente devant un notaire, et ça…

– Le notaire qui nous conseille va dans les EPHAD et fait signer les papiers aux vieux, peu importe leur état, du moment que personne ne spolie personne. Nous ne sommes que deux enfants et il suffit de regarder nos parents pour comprendre qu'ils ne ressortiront jamais d'ici.

– Comme je vous l'ai dit, ça m'intéresse.

– Vous vous rendez compte que vous nous sauvez la vie ?

– Il y a un bémol, je peux vous verser la rente que vous voulez, mais en liquide. Je ne vais pas vous mentir, j'ai une grosse somme à la maison appartenant à ma mère. Pas de l'argent sale, juste le trésor d'une vieille dame juive un peu folle qui a toujours pensé que les Allemands l'avaient oubliée et qu'ils allaient revenir la chercher.

– On déposera l'argent sur notre compte, c'est pas grave, fit la fille Léger.

– Non, non, on ne peut pas, objecta fermement le fils.

– Voilà, on ne va jamais s'en sortir ! fit-elle dans un désespoir théâtral comme si c'était de la faute de son frère qu'on ne puisse pas blanchir de l'argent. Elle s'est remise à sangloter et lui à soupirer.

– Si ça peut vous rassurer, la directrice des *Éoliades* n'est pas du tout regardante. Au contraire, je dirais, le cash lui permet de payer des milliers d'heures sup au noir. Vous ne le savez peut-être pas, mais ce truc appartient à un fonds de pension américain qui apprécie beaucoup les économies de personnel.

– Ok, je vais en parler au notaire. C'est vrai que dans notre situation on ne peut pas se permettre le luxe d'une conscience trop délicate.

– Vous faites quoi dans la vie, sans indiscrétion ?

– Je suis inspecteur de police.

– Comme le monde est petit ! Mon compagnon aussi, et moi je suis traductrice judiciaire.

Nous étions entre nous, appartenant au grand flou des classes moyennes étranglées par ses vieux. C'était rassurant.

Les enfants Léger auraient vendu l'appartement de leurs parents dans les 750 000 euros, nous avions donc convenu d'un bouquet de 50 000 et d'une rente de 20 000 par mois le temps que vivraient leur père hémiplégique et aphasique de quatre-vingt-six ans et leur mère Alzheimer – temps estimé généreusement à trois ans compte tenu du tableau désespérant qu'ils formaient tous les deux. Personne ne se faisait donc arnaquer. Comme les papiers de l'appartement étaient déjà établis pour une éventuelle cession et qu'obtenir un prêt lorsque l'on a un bien immobilier à hypothéquer est une formalité, ma banque m'a prêté l'argent du bouquet et l'acquisition de mon viager a pris à peine une semaine.

Entre-temps, je suis allée visiter mon futur bien avec le fils Léger.

Gêné de pénétrer dans l'intimité de ses parents, à moins qu'il s'agisse d'une simple attitude animale face à la mort, il n'a pas dépassé l'entrée, m'enjoignant d'un geste à faire comme si j'étais déjà chez moi. L'intérieur sentait le renfermé. Un rayon de soleil dans lequel dansaient des particules de poussière filtrait au travers des rideaux tirés révélant un intérieur sale et en très mauvais état, mais rien, évaluais-je, de nature à décourager un ouvrier polonais. Les placards que j'ouvrais un à un étaient remplis de vêtements ou de vieux trucs patinés par la crasse. Tout était à jeter et je savais que c'était encore à moi qu'incomberait cette tâche. J'allais même jusqu'à soupçonner les Léger d'être contents de se débarrasser du logement de leurs parents rien que pour ne pas avoir à trier leurs affaires.

D'abord mon père, puis mon mari, ma mère et maintenant les parents des autres : c'était à se demander si gommer l'existence matérielle des gens à coup de sacs-poubelles n'était pas comme une mission qui m'avait été assignée par le destin. Quoi qu'il en soit l'appartement était très bien placé, à quelques mètres seulement des Arènes de Lutèce. J'étais ravie car j'avais enfin quelque chose de correct à donner à mes filles.

Alors que nous étions tous réunis chez le notaire autour du grand bureau, j'enfouissais mes mains dans les poches latérales de ma robe d'été pour faire rouler mes deux grosses liasses de vingt mille euros entre mes doigts et ma paume. Comme deux gros cailloux. À un moment, quand tout a été signé, j'ai posé mes cailloux sur la table et Luc Léger s'en est saisi comme on attrape un truc un peu douteux pour s'en débarrasser entre les mains de sa sœur et me griffonner un reçu pour deux mois. Si lui trouvait ça dégoûtant, elle, au contraire, avait l'œil émerillonné de celles qui aiment le biff.

Et puis l'été ainsi que le début de l'automne ont filé à toute vitesse avec ses attentats, ses grèves, sa canicule…

Mes filles sont rentrées de vacances et se sont remises au travail. Philippe, lui, a pris trois semaines de congé avec son fils pour lui montrer les girafes africaines ; quant à moi, je me suis occupée de mon nouvel appartement que j'ai fait vider et rénover entièrement par un certain Mikolaj et son équipe pour 60 000 euros.

Je me suis également rendue quelques jours en Suisse, qui au passage venait d'adopter une loi contre le blanchiment d'argent et plafonner le paiement en liquide à… 90 000 euros par transaction. Je suis descendue à l'hôtel du Belvédère – celui de la photo de *La Petite Collectionneuse de feux d'artifice* – où j'avais eu jadis mes habitudes, bien décidée à en profiter et commencer enfin mon *endless summer*.

C'est ma grand-mère Rosa qui avait ouvert la voie des vacances dans cet hôtel mythique en 1946 avec l'argent de l'héritage de son nouveau mari. Sa sœur Ilona, réfugiée à Londres au moment de l'Anschluss, avait créé là-bas une fondation philanthropique dont les sociétaires étaient de très très vieux messieurs à peine conscients d'exister mais prêts à venir en aide aux gentilles Juives déportées. C'est ainsi que ma grand-mère avait épousé dans son hospice en novembre 1945 un certain M. Williams, quatre-vingt-douze ans, qu'elle avait vu cinq minutes, le temps de spolier toute sa descendance de son héritage. Il était mort quelques mois après la cérémonie et après *avoir eu l'argent* – on ne faisait pas de procès à une gentille Juive déportée –, elle paya à sa fille et à elle-même ce dont elles avaient rêvé ensemble dans leur camp : un long et luxueux séjour dans un pays neutre et germanophone, à manger des gâteaux en regardant un lac. C'est comme cela que Mme Rose Williams, vieille dame anglaise très chic, avait posé ses jalons au Belvédère, débutant ainsi son propre *endless summer*, qui malheureusement ne dura qu'une quinzaine d'années car son corps épuisé par les privations de la guerre avait lâché à la soixantaine.

Je ne me fais guère d'illusion, si cela avait été la même Rosa Zielberman, prolo du quartier du Prater, qui avait réservé ce mois d'août 1946, on lui aurait aimablement répondu qu'il n'y avait plus de place et nous n'y aurions jamais mis les pieds.

Mon père est venu rejoindre les deux femmes en 1955 et moi à ma naissance en 1963. Il était d'usage que la famille commençât son périple d'été par un séjour au Belvédère pour que ma mère se remette de son année harassante à ne rien faire. Nous réservions d'une année sur l'autre et arrivions toujours aux mêmes dates pour profiter du feu d'artifice du 1er Août. Mon mari a remplacé mon père à nos côtés et mes filles sont nées. Puis il est mort, laissant une table exclusivement féminine jusqu'à ce que ma mère n'ait plus les moyens de nous payer le séjour. Après une longue absence, j'y allais seule pour la première fois.

Mondialement connu pour sa magnifique vue sur le lac, le Belvédère appartenait à la même famille depuis sa création au XIXᵉ siècle. Trois générations de Hürsch avaient accueilli les miens dans leur lourd bâtiment avec leur mine renfrognée de professionnels de l'hôtellerie suisse. Cette austérité toute calviniste leur permettait d'éloigner nouveaux riches et métèques qui ne trouvaient dans leur hôtel aucune des accommodations qu'exigeait leur esprit avide de tapage et de distractions. Pas de spa, de piscine, de boutique, de salle de congrès. Pas de musique d'ambiance genre chant de baleines au synthétiseur, ni de jeux vidéo avec des gosses criards autour. Rien à part du silence et une vue imprenable en échange d'un prix faramineux. C'était ça le vrai luxe qui permettait l'entre-soi. La dernière fois que j'y avais mis les pieds, à l'époque où ma mère avait encore un peu d'argent, je me rappelle avoir vu quelqu'un demander à la réception s'il y avait Internet. M. Hürsch lui avait répondu avec mépris qu'il *ne proposait pas ce genre de service*, comme s'il s'était agi de prostituées.

Mais lorsque mon taxi m'a déposée devant la porte, je n'ai rien reconnu. L'hôtel avait disparu, ou plutôt avait été absorbé par une méga structure parallélépipédique en verre. Plus une seule tête connue, ni dans la clientèle ni dans le personnel, comme si les Hürsch n'avaient jamais existé. Pas de petit chocolat sur mon édredon en plumes d'oie. D'ailleurs pas d'édredon en plumes du tout dans ma chambre aseptisée couleur taupe. Tout était devenu beige et taupe, les rideaux, le couvre-lit, la moquette… Les non-couleurs par excellence, qu'on marie avec du blanc et du noir pour faire cocooning chic dans tous les hôtels de luxe du monde.

La vue sur le lac était bien évidemment toujours à sa place, sauf qu'en baissant la tête, une extension immonde avait remplacé le joli parc où la *petite collectionneuse de feux d'artifice* avait fait ses premiers pas. Mais c'est vraiment lorsque j'ai vu osciller dans le ciel bleu-suisse des niqabs sous la corolle de parapentes que j'ai compris : le Belvédère avait été phagocyté par un fonds souverain du Golfe.

En suivant du regard ces petites clochettes noires, j'ai poussé un soupir empreint d'une lassitude philosophique. Qui sait, parmi les petites filles voilées assises sur la terrasse du Belvédère leur nez levé vers le ciel, il y en avait peut-être une pour avoir le droit à une fraise melba pleine de sauce sucrée et de chantilly. Et si ça se trouve, celle-là même était en train de rêver, comme moi à son âge, à un destin hors norme.

J'ai déposé mes affaires dans ma taupinière pour aller arpenter sans attendre les rues commerçantes afin de m'acheter tout ce que je convoitais et que j'avais enfin les moyens de me payer. Mais très vite, en déambulant le long des devantures de bijouteries et de boutiques de mode, je me suis rendu compte que je n'avais envie de rien. À peine me suis-je arrêtée devant des crèmes antirides au platinium, à l'or ou au caviar à 600 euros pour 30 centilitres. *Il ne s'agit pas d'une simple crème antiride, madame, mais d'une expérience*, me fit la vendeuse laborantine en blouse blanche. Se tartiner des métaux rares ou des animaux en voie de disparition sur le visage pour accéder à la jeunesse éternelle tenait effectivement de la métaphysique... *On devrait carrément manger de l'argent, le hacher et en faire un complément alimentaire de luxe, comme la gelée royale*, me suis-je dit en me faisant rire toute seule.

Je me suis finalement bornée à faire *la fourmi japonaise*, à savoir blanchir mon argent en achetant quatre fancy vivid pink de 0,5 carat à 90 000 pièce tenant dans un bâton de rouge à lèvres et un sac Kelly Hermès en croco rouge au même prix pour les revendre aux enchères à mon retour à Paris – les diamants roses et les sacs de marque partent comme des petits pains, je le savais à force de rêver devant les catalogues de ventes aux enchères parisiennes. Le seul achat personnel que je m'étais autorisé était un collier hors de prix en cuir italien pour ADN avec sa laisse assortie.

Après ces quelques courses, je suis rentrée à mon hôtel, solitaire et silencieuse, et ma première soirée, je l'ai passée sur mon balcon à réfléchir face à mon élégant chien.

Mon *Endless summer* ne commençait pas du tout comme je me l'étais imaginé.

J'étais censée éprouver de la joie à *claquer du biff, de la moula*, comme disent les intellectuels qui peuplaient ma vie... oui... mais pour acheter ou faire quoi ? C'est sûr que pas un seul de ces jeunes dealers dont je traduisais les conversations depuis presque vingt-cinq ans n'avait encore été effleuré par les gastros à soigner, les appareils dentaires et les voyages scolaires à payer, les cordons de sweat à capuche à renfiler – toutes ces petites réalités qui progressivement ensablent les mères de famille. La vie m'était passée dessus à la manière de ce fer que j'ai manié tous les soirs pour que les miens, malgré le manque d'argent, aient toujours des vêtements impeccables. J'étais devenue une *petite madame* aux ailes engluées par les préoccupations matérielles et contrairement à ce que la publicité essayait de nous faire croire, ce n'était pas si évident que ça de changer de comportement après avoir incorporé tant d'habitudes.

J'ai commandé mon dîner pour qu'on le monte dans ma chambre – pas de saucisse de Saint-Gall au menu, ça va sans dire, mais un oxymore nommé *cuisine hallal de luxe*.

Je me suis couchée tôt et, une fois endormie, le dépotoir qui me servait d'inconscient n'a cessé de déverser des bribes de rêves incohérents dans mon esprit : moi attendant Scotch, mes pieds s'enfonçant dans l'asphalte surchauffé de l'été, Philippe bouclant mon Magnum comme son arme de service autour de son torse nu, ADN buvant la tasse, cherchant désespérément à rétablir son corps de saucisse dans l'eau glacée du lac en faisant hélice avec sa queue… Bref, je me suis levée à cinq heures du matin avec de la limaille de fer dans la tête et une envie désespérée de parler à quelqu'un. J'ai appelé Philippe et puis, honteuse, je me suis ravisée immédiatement. Il a aussitôt rappelé mais je n'ai pas répondu. Je suis sortie dans le jardin de l'hôtel où il y avait déjà de l'ambiance, *Al Fajr* oblige – la prière préférée du Prophète (*que la prière d'Allah et son salut soient sur lui*) qui devait être un homme matinal. Du coup j'ai obliqué vers le lac pour y piquer une tête revigorante, mais là non plus ça n'allait pas, une famille de cygnes extrêmement menaçants m'en obstruant l'accès.

À six heures, j'étais au petit-déjeuner. En beurrant pensivement mon Weggli, ce petit pain en forme de fesses typiquement suisse – scandaleusement *haram* au demeurant, *merde, que fait la direction qatari*, me suis-je dit en me faisant encore une fois rire toute seule –, je me voyais cheminer le long de ma journée comme si j'avais à ramper d'une station du calvaire à l'autre.

À midi, j'étais dans le train.

… Et la première chose qui m'a sauté aux yeux en ouvrant la porte de mon appartement fut mon billet couleur banane de deux cents euros coincé dans le cadre de *La petite collectionneuse de feux d'artifice.*

Le message qui y était inscrit m'apparut tout à coup dans sa limpidité et sa troublante justesse : *Dans une heure tu auras encore faim,* c'est ce que l'on dit aux enfants lorsqu'ils se nourrissent de cochonneries, pile la conclusion à laquelle j'étais parvenue à l'issue de ce séjour éclair en Suisse. Ce n'était pas d'argent à claquer dont j'avais besoin… je ne cherchais pas non plus à exhiber un quelconque pouvoir social… non… je voulais juste retrouver un peu de l'innocence de la petite collectionneuse de feux d'artifice. J'ai compris qu'il n'y aurait pas d'*endless summer* tant que je n'aurais pas annihilé cette angoisse du lendemain qui m'habitait depuis tant d'années. Avant de dépenser un centime pour moi, je devais accumuler une somme suffisante pour que mes filles aient au moins chacune un toit.

Jusque-là donc, je compterai mes sous comme une boutiquière. *Après on verra bien si j'ai faim*, me suis-je dit à ce moment-là.

6

Parler ne fait pas cuire le riz

En bonne boutiquière, donc, à chaque fois que j'ouvrais la porte de ma cave, je me désespérais de voir mon stock fondre aussi lentement.

Colette Fò, ma voisine de palier, devait se dire à peu près la même chose car elle avait l'air aussi préoccupée que moi lorsque nous nous croisions avec nos gros sacs respectifs dans l'ascenseur. J'ai décidé de briser la glace et d'y aller franco :

– Dites-moi, madame Fò, ça vous ennuie si je paye mes charges en liquide ce trimestre ?

La première décision qu'avaient prise les Fò lorsqu'ils eurent la majorité de la copropriété, c'était de virer le syndic et d'administrer seuls tout l'immeuble.

En fait, je n'avais jamais remarqué à quel point cette maussade créature était une version de moi en chinois. Vêtue de la même manière avec des vêtements gris ou noirs de confection, toujours un pochon à la main, debout à six heures et jamais au lit avant minuit, toute la famille avait l'air de reposer sur elle sans qu'elle ne soit épaulée par un *Monsieur Fò* que je supposais mort ou en prison quelque part. Il suffisait de la regarder pour comprendre qu'elle non plus ne jouissait pas du capital qu'elle accumulait ; capital conséquent car elle possédait au moins quatre bars-tabacs autour de chez nous et je ne sais combien d'appartements.

Au moment où elle a posé ses yeux sur moi, j'ai senti son regard me soupeser comme pour déterminer mon utilité à plus ou moins long terme :
– Vous avez trop liquide ?
– Pas mal.
– Moi, acheter votre appartement son prix plus liquide moins trente pour cent commission.
– L'appartement fait 540. Ça veut dire que si je vous donne 300 en liquide, vous me l'achetez 750 et vous gardez 90 c'est ça ? 90, c'est beaucoup, non ? Le blanchiment c'est vingt pour cent.

Nous avions aussi ça en commun : je savais compter très vite.
– Beaucoup de travail pour faire disparaître l'argent.
– Je vais réfléchir. 90 000 euros de commission c'est quand même beaucoup.

... et nous sommes rentrées chacune chez nous. Avec mon sac Hermès et mes diamants roses j'avais potentiellement blanchi 500 000 euros. La vente de mon appartement en rajouterait 200 000, plus mon viager en construction, ça commençait à prendre tournure.

On m'avait confié fin novembre une nouvelle série de traductions dans une affaire portant sur des quantités de drogue bien supérieures à celles que je trafiquais avec ma bande de bras cassés. Il s'agissait de Tunisiens dont une partie était basée aux Antilles et qui importaient de la cocaïne de Colombie qu'ils payaient... en shit. En tonnes de shit. Mais je n'osais pas prendre contact avec eux comme je l'avais fait avec Scotch car le dossier provenait de l'Office central pour la répression du trafic de stups et je me disais que les types que j'écoutais pouvaient très bien avoir été recrutés par la police pour organiser de fausses-vraies livraisons.

On faisait comme ça maintenant à l'OCRTIS, c'était moderne. Pas de bonne police sans basse police. On pouvait ainsi programmer des saisies de drogue face aux caméras de télé et faire poser des ministres la mine navrée devant des montagnes de shit.

Moi, tout ce que je savais, c'était que cette cuisine permettait à certains trafiquants de vivre comme des princes saoudiens avec la bénédiction de l'État... ce qui m'ôtait absolument tout scrupule – à supposer que j'en eusse eu un jour – à faire la même chose. Mais quelle honte, quand même quand on y pense, ces flics payés par le contribuable qui se vautraient dans le luxe avec les dealers.

Au moins, avec mon business partner, j'étais totalement rassurée. Certes, il mangeait au kebab du coin, mais personne n'aurait songé à le recruter pour quoi que ce fût. Je gardais néanmoins ces Tunisiens dans un coin de mon esprit. En fait, j'étais jalouse car j'aurais bien aimé faire comme les flics : travailler avec des gens intelligents dans de bonnes conditions. Ces types avaient du goût, fréquentaient des hôtels de luxe, traitaient avec respect leur copine ou leur épouse qui n'étaient pas de pauvres filles incultes remontées du bled contrairement aux demeurés avec lesquels je faisais commerce. Pas du genre à penser comme les musulmans bas du front qu'*il ne faut jamais laisser le ventre des femmes sans enfant, et leur dos sans bâton*. Et c'est justement ça que je trouvais vachement louche en écoutant sous mon casque ces Tunisiens. Car Scotch, pour ne citer que lui (les trafiquants étaient, sauf de rares exceptions, tous pareils), alors qu'il commençait à peine à accéder à la prospérité, cherchait déjà à s'accoupler. Ainsi, il s'était rapproché de sa famille marocaine pour qu'elle lui trouve je cite, *une meuf propre qui porte le niqab et lit le Coran.*

Mais j'avais les partenaires que je pouvais me payer, eux seuls étant assez cons pour faire du commerce avec une femme surgie de nulle part. Quoi qu'il en soit, ils avaient tous bien travaillé l'été et se rapprochaient à nouveau de moi par SMS pour me prendre deux cents kilos le 15 octobre.

1 m = 2 x 40 + 20, pas +, à 3,5 en 2 x

Malheureusement, même si je précisais à chaque fois que je voulais un taxi avec un grand coffre, on ne pouvait pas y caser plus de deux sacs de quarante kilos avec leurs roulettes plus un sac avec vingt kilos en vrac.

Où avec les sacs Tati ? m'a demandé Scotch en se permettant de faire dans l'ironie…

Chez Tati – robes de mariées à côté des cabines, 17 h 15.

J'ai répondu du tac au tac, j'étais de bonne humeur.

Le matin du jour de la livraison, j'ai été appelée d'urgence par la BRB pour faire l'inventaire du contenu d'un carton ainsi que celui d'un disque dur rempli de trucs écrits en arabe collectés lors d'une perquisition ayant eu lieu la veille au soir chez deux voleurs qui venaient de se faire arrêter. Deux jeunes types spécialisés dans l'attaque à domicile de vieilles personnes dont le mode opératoire consistait à se faire passer pour des employés du gaz afin de se faire ouvrir.

Je me suis installée dans un des bureaux et j'ai vidé le carton, objet après objet, en inscrivant, comme on me l'avait demandé, tout ce que j'y trouvais, à savoir le kit du parfait net-islamiste.

1) Un écrit en arabe intitulé *La Solution* : discours prononcé par Tamim Al Adnani, djihadiste décédé en 1989 après avoir combattu l'URSS en Afghanistan.

2) Un écrit en arabe : *De l'obligation du Djihad* par Abdallah Azzam, surnommé *le cœur et le cerveau du djihad afghan*, décédé à Peshawar en 1989.

3) Un fascicule : *La Rencontre*, sous-titré *Règles à suivre lors du recrutement d'un nouvel aspirant djihadiste*. Auteur inconnu.

4) Un fascicule : *De la légalité des opérations martyres*. Auteur inconnu.

5) Un CD avec une pochette contenant un texte écrit en arabe intitulé *Démocratia* contenant un discours de Sheik Abu Musab al Zarkawi de 120 minutes. Le discours audio était entrecoupé de tirs d'armes à feu et de chants djihadistes...

Voilà, c'était pour ça que je refusais les traductions dans les affaires de terrorisme. Ce n'était pas la première fois que je faisais ce genre de travail et on trouvait chez ces radicalisés du Net toujours la même quincaillerie intellectuelle. On croit que le traducteur sert à déjouer des complots... Alors, peut-être y concourt-il une fois sur mille, mais les 999 autres traductions qu'il fait portent sur des heures d'exégèse de la parole du Prophète (que la paix et la bénédiction d'Allah soient sur lui) faite par des mongoliens incultes et radicalisés par la lecture du *Coran pour les nuls* ; c'est insupportable !

6) Une vidéo de 16 minutes montrant des djihadistes en train d'égorger des soldats.

7) Un recueil de hadiths guerriers intitulé *Le Paradis est notre récompense*.

8) Deux photos : Mahdi Al-Yahawi et Jaber Al-Khashnawi, inghimasi du Bardo à Tunis baignant dans une mare de sang.

9) Une vidéo de Abou Mohammed Al-Adnani intitulée *Aux soldats du Califat d'Europe*…

Alors que je notais consciencieusement tout ça avec en fond sonore des poèmes chantés, un jeune flic que je côtoyais depuis deux ans dans ce commissariat – un gentil garçon sportif qui croyait au triomphe du bien sur le mal et qui sentait toujours le chewing-gum à la menthe – est venu me chercher. En réponse à son regard interrogateur, je lui montrai la photo d'Al-Baghdadi sur le CD, qui pour l'occasion avait abandonné son look troglodyte à la al-Qaida pour quelque chose de plus moderne en taillant plus ou moins sa barbe et en portant des vêtements noirs :

– Ce sont des *anachid*, des versions sans instrument…

– Éteins ça s'il te plaît, ça m'angoisse…

– Ça n'a rien de flippant… ce sont des poèmes islamiques très anciens dont la vocation est d'orienter les gens dans leurs choix quotidiens… et c'est plein de vérités.

– On dirait les trucs qu'ils passent sur les vidéos de propagande de Daech.

Il s'est saisi de ma liste et, après l'avoir parcourue, il l'a reposée avec un gros soupir. Un soupir typiquement XXIe siècle. Mes filles poussaient le même lorsqu'elles voyaient des cadavres d'enfants rejetés sur les plages, des forêts qui brûlent, des animaux qui meurent...

– Tu veux parler de *Salil Al-Sawarim*... Si tu veux savoir, il en existe aussi une version très olé olé danse du ventre... il y en a même une par les Chipmunks. C'est juste une chanson très ancienne avec peu ou prou les mêmes paroles que *La Marseillaise*... en plus soft ! ai-je dit pour lui arracher un sourire en pure perte.

J'ai continué :

– ... tu sais, un inventaire, c'est qu'une figure de style. Ça donne toujours des résultats carrément flippants.

– Mais quand est-ce que tout ça va s'arrêter ?

– Mais de quoi tu parles ? Il y a des choses bien plus préoccupantes dans le monde qu'une poignée de losers au cerveau infecté qui cherchent à avoir leur quart d'heure de gloire, tu ne crois pas ? T'as qu'à te dire qu'ils ont juste inventé une nouvelle façon de mourir aussi aléatoire que le cancer ou les accidents de la route.

Les conversations avec moi deviennent très très vite décourageantes.

– ... écoute, je suis venu te chercher parce qu'on a besoin d'un coup de main. Aucun de ces connards ne veut s'exprimer en français et ils font les mecs qui ne comprennent rien. Juste cinq minutes, le temps de traduire leurs droits et puis on les envoie à la DCRI.

– Ok pour cinq minutes, mais vous me payez une heure entière, en plus de celle pour l'inventaire.

– Ça marche.

... et je suis allée m'installer aux côtés d'un des deux islamistes-braqueurs de vieux. Et alors que je signais le procès-verbal me désignant comme traductrice, le type, profitant d'un moment d'inattention du policier armé debout à côté de lui, s'est saisi de son revolver de service, a tiré sur le flic, l'a loupé et s'est tiré une balle dans la tête, m'éclaboussant de sa cervelle.

Ça s'est passé en un clin d'œil.

S'est ensuivi un moment de silence qui m'a paru très long, comme si le temps s'était arrêté, puis tout à coup a retenti un pataquès hystérique de cris et de larmes suivi d'un ballet de flics venus de tous les étages. Pour finir ce sont les soutiens psychologiques dépêchés par la préfecture qui sont tombés sur la brigade comme une nuée de sauterelles.

Moi, j'étais assise sur une chaise poussée dans un coin avec de petits morceaux de matière grise ensanglantée collés sur l'épaule de mon chemisier en crêpe tout neuf, acheté en prévision d'un dîner au restaurant avec Philippe que je n'avais pas revu depuis son retour d'Afrique… et comme personne ne m'a même proposé un verre d'eau, j'ai fini par rentrer chez moi.

À la manière d'un zombie, j'ai enfilé mon imperméable, mes lunettes et mon hijab de daronne pour aller au turbin, et à partir de ce moment-là j'ai enchaîné toutes les imprudences, à commencer par ADN que j'ai emmené avec moi parce que je n'avais pas eu le temps de le sortir.

J'ai chargé dans le coffre de ma voiture mes cent kilos de shit puis je suis allée me garer trois rues plus loin. Là, j'ai essayé d'appeler un taxi, mais comme aucun n'était libre, j'en ai hélé un à l'arrache dans la rue. Entre ceux qui ne voulaient pas prendre un animal et ceux qui trouvaient que mon chargement était trop encombrant, j'ai attendu trente minutes qu'un Chinois m'embarque avec mes énormes sacs et mon chien en direction de Tati. Mon retard me privait de tout repérage, ce qui n'était pas du tout prudent. À 17 h 05 mon chauffeur s'est garé boulevard de Rochechouart de l'autre côté du métro aérien. En route j'ai tenté d'appeler Philippe pour annuler notre rendez-vous du soir en raison de ce qui s'était passé dans la matinée, mais il était sur répondeur ; alors je lui ai laissé un message. J'ai demandé au taxi de m'attendre avec mon chien, moyennant un surplus d'argent parce qu'il rouspétait. J'ai traversé en courant le terre-plein du métro ainsi que le boulevard de Rochechouart pour aller chercher comme à l'accoutumée mes neveux de l'autre côté, chez Tati.

Et à 17 h 12, alors que je grimpais à toute vitesse vers le rayon robes de mariées, j'ai été doublée, voire bousculée par Philippe et deux de ses hommes.

J'ai immédiatement rebroussé chemin vers mon taxi. Là, j'ai appelé Scotch.

– Vous êtes où ?

– On est en retard, là ; on est bloqués sur le boulevard de Rochechouart.

– Il y a des policiers partout. Je vous attends en haut du boulevard, sur la place. Vous laissez vos copains et vous montez à pied en courant avec l'argent pendant que les autres font le tour du terre-plein en voiture pour passer de l'autre côté et embarquer la marchandise.

Lorsque je suis revenue vers le taxi, le chauffeur chinois m'a pris la tête avec les poils qu'ADN perdait soi-disant sur sa banquette. Le moment étant mal venu pour argumenter, j'ai sorti le chien et l'ai emmené avec moi, me rendant du coup identifiable sur n'importe quelle caméra de vidéosurveillance. J'ai remonté la rue pour aller sur la place et j'ai vu Scotch arriver en courant avec, ballottant sur son ventre, une sorte de gros sac monogrammé en bandoulière censé contenir mon argent. Je dis bien *censé* car j'étais persuadée qu'il ne contenait rien vu qu'ADN, spécialisé en recherche de drogue *et* de billets de banque, l'aurait marqué s'il avait été rempli comme il le faisait chez moi lorsqu'il se trouvait en présence de grosses liasses.

Je n'ai pas vérifié, mais je suis absolument sûre que cette pochette ne contenait pas mes 350 000 euros.

– Vous m'avez amené les flics.

– Je ne vous ai rien amené du tout. Allez, on y va, là.

– On ne va nulle part !

Je ne bougeais pas et le fixais.

Scotch, à deux doigts de me frapper, serrait les poings. En réponse ADN a instantanément montré les crocs et s'est mis à grogner de manière extrêmement impressionnante.

La voiture est enfin arrivée en haut du boulevard.

– Je crois qu'on va en rester là, non ?

Scotch a hésité puis, furieux, est monté rejoindre ses quatre copains et ils sont redescendus par le boulevard de Rochechouart en passant devant mon taxi, sans faire, Dieu merci, le rapprochement avec le véhicule qui m'avait amenée sur place avec la drogue.

Je suis repartie quelques minutes plus tard et j'ai refait avec mes cent kilos tout le chemin en sens inverse jusqu'à ma cave.

La visite de Philippe que je n'étais pas parvenue du coup à annuler s'est déroulée dans le brouillard. Il a débarqué chez moi vers vingt heures avec une espèce de petit rosier pour fêter nos retrouvailles alors que je venais juste d'arriver, et c'est seulement lorsque ADN a commencé à renifler les traces de cervelle sur mon chemisier en crêpe que je me suis rendu compte que je ne m'étais même pas encore changée.

— Merde, mon chemisier est foutu.

J'avais la tête complètement vide et les oreilles qui bourdonnaient. Je regardais Philippe et son rosier nain. Il portait pour *me sortir* une chemise et une cravate du genre de celles que l'on trouve en vrac dans les bacs à soldes, et sur son dos j'imaginais déjà les taches de transpiration en forme d'ailes de scarabée. Il m'est tout à coup apparu comme ce qu'il était : un flic.

— Tu veux en parler ?

— Parler de quoi ?

Je le regardais.

— De ta journée…

— Non, pourquoi ?

Philippe hocha la tête avec gravité. Une personne rationnelle intégrant l'irrationalité du comportement de son interlocutrice : *la pauvre, elle est sous le choc, elle refuse de verbaliser son trauma*, se disait-il. Alors que moi, je faisais simplement face à l'événement de la matinée comme j'avais toujours fait avec tout, en rangeant ledit événement à sa place dans une liste mentale d'horreurs ; à côté de l'épisode du chevreuil de Bokassa par exemple.

— Je m'en veux de ne pas t'avoir répondu quand tu m'as appelé, mais j'étais en opération.

Face à mon mutisme et mon air halluciné, il se creusait bravement la tête pour trouver quelque chose à me dire ; du coup il m'a raconté son embuscade ratée. Lorsqu'il est arrivé chez Tati, il y avait là trois types, trois Marocains, sortis d'on ne sait où, qui étaient en train d'attendre Scotch et la Daronne tout en tripotant les robes :

– Tu t'imagines six mecs à l'étage mariage, trois truands arabes et trois flics, pendant qu'un groupe de nanas poussaient des petits cris en voyant leur copine sortir de la cabine habillée en meringue. C'était surréaliste. On s'est tourné autour comme ça, on s'est jaugés. Le flag était raté de toute façon, alors on a vérifié leur identité. Trois Marocains du bled avec passeport en règle, tout, soi-disant là pour choisir une robe de mariée. Mon œil ! Je suis sûr qu'ils attendaient ce minable de Karim Moufti qui trafique on ne sait comment du marocain de premier choix que le tout-Paris s'arrache… et surtout la Daronne qui l'a importé je ne sais comment ou l'a piqué à je ne sais qui. J'ai regardé la vidéosurveillance du rez-de-chaussée, mais il y a tellement de daronnes potentielles qu'il est impossible de savoir si elle est venue au rendez-vous ou pas. Cette affaire, j'en ai ma claque. J'ai demandé au juge l'autorisation de poser un traqueur sur le Cayenne et on planque devant chez lui. Au prochain rendez-vous, on arrêtera tout le monde.

Jusque-là, les rares fois où Philippe faisait allusion à la Daronne, j'avais l'impression qu'il parlait de quelqu'un d'autre. J'avais conscience de coller ainsi parfaitement au tableau clinique de la psychopathe. Une machine à mentir, efficace et sans sentiment, capable d'agir dans un état de compartimentation morale totale. Mais ce soir-là c'était différent : plus il me racontait son arrestation manquée, plus j'avais l'impression qu'il prenait une place folle dans mon appartement – comme quelque chose qui en grossissant progressivement deviendrait hostile. Ça devait se sentir parce que, inquiet, il a pris mon visage entre ses mains pour m'embrasser. En retour j'ai essayé de me faire violence pour lui rendre son baiser, mais mon corps était si lourd que je n'arrivais plus du tout à bouger.

Il m'a caressé la nuque puis m'a prise vigoureusement dans ses bras.

– Tu m'as manqué, ton corps m'a manqué... un mois... ça fait plus d'un mois qu'on ne s'est pas vus...

Il tenta d'enlever mon chemisier alors que je me laissais faire comme une poupée de chiffon. Il avait le visage empourpré et j'aurais juré qu'il haletait. Puis tout à coup, devant mon inertie, il s'est ravisé.

– Écoute, je crois que j'abuse. Le moment n'est pas vraiment bien choisi ; tu dois te reposer après ce qui t'est arrivé.

Il m'a mise au lit et je me suis endormie instantanément.

Lorsque je me suis réveillée vers deux heures du matin, il y avait un rosier nain jaune sur ma table de nuit. J'ai essayé de me rendormir, mais la plante m'en empêchait, jusqu'à ce que je me lève et que je la jette dans le vide-ordures de l'immeuble.

J'ai donc abordé ce mois d'octobre extrêmement préoccupée.

Aux *Éoliades*, au moins, c'était le calme plat, ma mère tyrannisait la pauvre Anta que je payais à prix d'or pour m'excuser de ce que je l'obligeais à subir au quotidien. Dehors, c'était l'automne. Il pleuvait tous les jours comme sur les planètes inhospitalières des films de SF, alors qu'à la télé les infos diffusaient des reportages pour apprendre aux gens à faire des garrots en cas de membre arraché par une bombe. Quant à mon activité de trafiquant, je faisais marner Scotch jusqu'à ce qu'il avoue et s'excuse d'avoir essayé de m'arnaquer.

Je l'appelais tous les matins sur WhatsApp – terminé le téléphone, car là où je changeais adroitement un mot par-ci un mot par-là dans mes traductions, je m'étais arraché les cheveux pour falsifier sans que cela se voie la conversation devant chez Tati afin que le lecteur des retranscriptions pense que la Daronne n'était jamais venue.

À chaque fois il décrochait et hurlait dans un salmigondis franco-arabe qu'à cause de moi ses clients lui faisaient vivre un enfer, mais comme il refusait d'avouer et de s'excuser, je lui raccrochais au nez.

Il a tenu huit jours !

– Là, je suis avenue Henri-Barbusse et il y a des flics dans une Renault verte garée devant chez vous, et quand vous bougez, il y en a derrière vous qui vous suivent...

– Comment vous savez où j'habite ?

– Vous me fatiguez avec vos questions débiles... Je vous ai laissé dans votre boîte aux lettres un plan en français que je veux que vous suiviez à la virgule près. Mais je vous préviens : le moindre écart au programme dans son plus petit détail et j'arrête pour toujours. Est-ce que vous comprenez bien ce que je dis ?

Je m'adressais à lui en arabe et, même si j'articulais chaque mot comme si je parlais à un handicapé mental, je n'étais jamais sûre qu'il comprenne bien tout.

– Oui, madame.

– Répétez.

– Je lis la feuille et je fais ce qu'il y a écrit sur la feuille exactement sinon c'est fini...

– C'est fini pour toujours. Répétez...

– Pour toujours.

– Voilà.

Les grosses livraisons comme nous les pratiquions étaient devenues impossibles car le groupe était régulièrement suivi. Au lieu de changer de voiture et de jouer au chat et à la souris, j'avais eu l'idée d'inclure les transactions dans le quotidien de mes dealers afin que la police, même en les suivant, ne se doute de rien.

Le plan de la Daronne s'orientait donc autour de deux axes : on aide maman à faire ses courses et on va perdre son gras à la piscine.

Lorsque la famille Moufti projetait d'aller au supermarché, toujours vers dix-huit heures (là où il y a le plus de monde), Scotch faisait sonner le téléphone de la Daronne une heure avant, soit à dix-sept heures, afin que cette dernière se mette en branle. Si elle ne pouvait pas, elle envoyait le mot « non » par WhatsApp.

Elle se rendait alors dans les grandes surfaces de Drancy, Bondy ou Romainville (là où il y a beaucoup de femmes voilées) et laissait un sac bleu à la consigne contenant dix kilos de shit dissimulés sous des légumes contre un bristol plastifié avec un numéro. Elle poussait son chariot pendant que Scotch ou son frère, en prenant une boîte de Chamonix orange, laissait sous la boîte d'en dessous une enveloppe de 40 000 euros (je refaisais le shit à 4 000 pour le punir : *Écoutez, monsieur Moufti, dès que je fais le kilo à 3,5 vous m'arnaquez, j'ai compris le message ; vous trouvez que le prix est trop bas…*) ainsi qu'un autre ticket de consigne pour un sac de la même couleur contenant lui aussi des légumes.

Pourquoi spécifiquement des Chamonix ? Parce que personne né après 1980 ne mange encore ce gâteau à la forme improbable et au goût sucrasse et parce que la base de la boîte a la taille d'une enveloppe demi-format.

La Daronne prenait alors l'enveloppe contenant l'argent ainsi que le ticket du faux sac en même temps qu'une boîte de gâteaux (j'adore les Chamonix orange), et à la place mettait le ticket de la consigne après avoir vérifié en douce l'argent. Elle continuait tranquillement ses courses, payait à la caisse puis prenait le second sac bleu alors que l'un des deux fils Moufti retournait aux Chamonix orange pour en reprendre une seconde boîte en même temps que le bon ticket de consigne ainsi que n'importe quel autre article dans le même rayon (j'ai bien insisté sur ce point pour casser ce qui aurait pu apparaître comme une routine devant les caméras de surveillance). Puis, après avoir payé à la caisse ses boîtes de gâteaux ainsi que les courses de maman, il prenait le premier sac bleu contenant le shit.

Parallèlement, la famille Moufti se mettait à la natation à la piscine Georges-Hermant dans le XIXe arrondissement deux fois par semaine.

Dans le casier 120 code 2402 (une cabine toujours vide car la plus éloignée de l'endroit où l'on tape son code) un sac de sport cette fois de quinze kilos attendait son futur propriétaire contre une enveloppe et un sac de sport vide. Comme il n'y avait aucune caméra dans les vestiaires, la Daronne nageait avec son bonnet et ses lunettes en tout anonymat et croisait dans les lignes d'eau deux gros phoques disgracieux et congelés, à savoir Scotch et son frère. C'était l'hiver, il faisait un froid de gueux. Moi l'eau froide, j'aime bien. Eux pas. C'était drôle.

Résultat… En grande surface, octobre : 3 livraisons. Novembre : 7. Décembre : 7. Janvier : 4. En piscine, octobre : 2. Novembre : 8. Décembre : 8. Janvier : 4.

Au bout de deux livraisons, comme cela se passait très bien, j'ai redescendu mon prix à 3 500 euros le kilo.

Total : 540 kilos, mais quel boulot ! Et encore, je ne faisais qu'emballer et livrer alors qu'eux coupaient, pesaient, conditionnaient, vendaient, récupéraient l'argent, cherchaient des débouchés, convertissaient en grosses coupures, blanchissaient… Ils avaient des têtes de déterrés et pour le coup perdaient vraiment du poids. Lorsque les magistrats traitent les dealers de feignants, ils ne comprennent vraiment rien à l'énorme travail qu'implique le commerce de la drogue.

Je supposais que pendant ce temps Philippe s'arrachait les cheveux. Le peu d'écoutes téléphoniques que j'avais eu à traduire donnait l'image d'un banal trafic de stups avec cinquante kilos mis toutes les semaines sur le marché. S'il ne se décidait pas à interpeller Scotch et ses petits amis qui, semble-t-il, étaient de plus en plus nombreux compte tenu du personnel nécessaire à ce trafic, c'était qu'il courait toujours derrière la Daronne et ça le rendait fou. Il avait beau analyser sans relâche les procès-verbaux des filatures, allant même jusqu'à visionner en boucle les vidéosurveillances des endroits fréquentés par la bande, il ne trouvait rien.

Et à la mi-janvier se sont succédé d'étranges événements.

Le 10, à la suite d'une de mes transactions-piscine (je me souviens très bien de la date car toute la bande de Scotch a fini par se faire arrêter le 20 janvier), j'avais rendez-vous avec la fille Léger devant le BHV pour payer ma mensualité du viager. Nous avons pris un café ensemble, dégoisé sur la directrice du mouroir, et j'ai prélevé 20 000 euros sur mon enveloppe pour les lui donner. Ensuite, je me suis rendue avec les 32 500 restants à l'intérieur du magasin où j'avais pris rendez-vous pour une manucure, la première depuis vingt-cinq ans.

Je m'en étais fait une fête : mes ongles seraient-ils rose layette, bleu marine ou vert anis ? Cette question me taraudait plaisamment depuis une semaine.

Est-ce l'odeur du vernis, la fatigue de la natation, je suis tombée dans les pommes de la hauteur de la chaise du Nail Bar en m'ouvrant la peau du crâne.

Les pompiers m'ont ramassée le visage ensanglanté et m'ont embarquée vers l'Hôtel-Dieu, et en fouillant dans mon sac pour sortir mes papiers d'identité, ils sont immédiatement tombés sur l'enveloppe. Quand je suis revenue à moi, on m'a demandé si un proche pouvait être prévenu pour venir chercher mes affaires car j'étais en état d'insuffisance cardiaque et on devait me garder afin que je sois vue par un cardiologue.

Quand j'ai entendu les mots *prévenir un proche*, j'ai arraché comme une possédée tous les trucs collés sur ma poitrine et je me suis levée en culotte dans un état de totale panique.

– Je vais très bien, redonnez-moi mes affaires !

– On ne peut pas vous laisser sortir.

– Ah mais si, vous avez à m'informer des conséquences de mon choix de sortir, alors, voilà, je suis informée. Je suis parfaitement informée. Maintenant donnez-moi les papiers à signer et rendez-moi mes affaires.

L'interne m'a regardée d'une manière ultra suspicieuse et m'a tendu mon sac d'une main... et mon enveloppe de l'autre.

– Oui… vous avez trouvé une enveloppe contenant 32 500 euros en liquide… La belle affaire ! Vous souhaitez des explications alors que je n'ai clairement pas à vous en fournir… Allez hop, donnez-moi ça ! – Et je lui ai arraché l'enveloppe des mains.

Je suis sortie aussi dignement que je pouvais de l'hôpital et je suis rentrée chez moi en taxi.

Alors moi aussi j'ai le cœur qui tombe en panne, ai-je songé en arrivant chez moi, et parce que j'avais vraiment d'autres chats à fouetter, j'ai pris cette information pour ce qu'elle était, à savoir une indication pour l'avenir ; rien de plus.

Aussi loin que je me souvienne, j'avais toujours connu mon père avec ses *gouttes pour le cœur*. De temps à autre je le voyais s'asseoir, essoufflé, sur un banc. Une goutte, deux gouttes… et hop, il repartait comme un lapin Duracel auquel on aurait changé les piles. Vers la soixantaine, parce que les fameuses gouttes ne faisaient plus d'effet, on lui avait proposé un stimulateur cardiaque qu'il avait refusé.

C'est devant un plateau de fruits de mer à La Coupole, boulevard du Montparnasse, en gobant goulûment des huîtres, qu'il nous avait annoncé sa décision de se retirer de la vie comme il nous aurait dit qu'il se retirait des affaires. Il avait déjà commencé à dissoudre la Mondiale et à partager sa trésorerie entre tous ses employés. De la même manière, il avait accumulé au coffre un gros trésor en Krugerrands, ces jolies pièces d'or sud-africaines d'une once, à plus de mille euros l'unité, frappées d'une gazelle springbok, destinées à assurer la sécurité financière de ma mère. Quant à moi, puisque la vie m'avait dotée d'un mari exceptionnel, il décréta ce soir-là, dans son immense clairvoyance… eh bien que je n'avais besoin de rien !

Atropine.

Je me rendais compte que depuis un an j'avais du mal à grimper un escalier sans m'arrêter pour reprendre mon souffle… *Mais qu'est-ce que j'en ai à faire, de monter un escalier*, me suis-je dit, *alors que je passe mes journées devant mon écran d'ordinateur.*

Ce n'est qu'à partir du moment où j'ai commencé à charrier des sacs de shit d'un endroit à un autre que mon cœur trop lent est devenu un problème. Ma visite chez le cardiologue n'a fait que confirmer ce que je savais déjà.

… Quand on ne trouve plus le moyen de bosser ni de s'amuser, autant plier bagage, nous a dit ce soir-là mon père…

Pourtant, à le voir avaler ses huîtres avec un appétit d'ogre, on avait peine à croire qu'il avait programmé sa mort. En vérité, cela faisait déjà une quinzaine d'années qu'il ruminait son projet. Depuis l'histoire de Martine, en fait. C'est pile à partir de ce moment-là que la vie a commencé à perdre pour lui de son intérêt.

Martine était une fille de militaire, blonde aux yeux verts, apprentie coiffeuse, qui a eu la mauvaise idée de mourir à dix-sept ans en août 1969 d'une overdose dans les toilettes d'un casino de Bandol. Son décès a été suivi par une campagne hystérique orchestrée par le député gaulliste Alain Peyrefitte, pointant du doigt la consommation de haschich, de LSD et d'héroïne, responsable de tous les maux : de la pornographie, de l'homosexualité, des minijupes, de la dégénérescence de la jeunesse et de la dégradation des mœurs en général... Bref, de la chienlit de mai 1968. Ce tour de vis à droite a donné lieu au vote d'une loi criminalisant l'importation et la vente de drogue qui, jusque-là, ne posait de problème à personne vu que la *french connection* fournissait 90 % de l'héroïne américaine. La Mondiale perdait ainsi sa branche d'exploitation la plus rémunératrice.

Le second gros coup à son moral, il l'a reçu en 1974 avec l'indépendance de Djibouti. Cette enclave française où il se rendait dès qu'il avait un moment et où il avait installé des bureaux lui rappelait sa Tunisie coloniale. À l'époque de la présence française sur son sol, Djibouti était (et est toujours d'ailleurs) un nid de pourris, de banques blanchisseuses, de bordels à soldats, de trafics de conteneurs bourrés d'armes à destination de l'Afrique, d'alcool et de cocaïne destinés au golfe Persique. Y sévissaient surtout des Corses, des Italiens pieds-noirs ainsi que des Libanais qui connaissaient tous mon père et parmi lesquels il se sentait absolument à sa place. Il y a fait beaucoup d'argent, mais il en a perdu aussi beaucoup avec l'Indépendance parce qu'un dimanche, je l'ai vu brûler rageusement dans la fosse à feuilles de *La Propriété* des sacs et des sacs de billets de francs Afar et Issa.

Perdre une seconde fois sa terre, c'était trop ; il n'a plus été le même par la suite. Les limitations de vitesse sur autoroute lui ont coûté sa Porsche à force de faire du 260. Du coup il a été obligé d'acheter une voiture de VRP minable, couleur muraille, qui le rendait triste rien qu'à la regarder et dans laquelle ma mère montait avec une moue de dédain... Et puis il y a eu l'arrivée de la gauche au pouvoir en 1981, l'ISF, les 39 heures, la retraite à soixante ans... l'avènement de ce qu'on appelle l'ordre public de protection visant à défendre les plus faibles contre les grands prédateurs comme lui ; ce genre d'homme qui à l'occasion d'une banale queue de poisson pouvait sortir un automobiliste par vingt centimètres de vitre ouverte pour l'abattre d'un coup de tête.

Ou on s'adapte, ou on meurt… Vivre dans un pays dirigé par des profs donneurs de leçon : à un moment il a préféré en finir.

Après nous avoir toutes les deux saluées ce fameux jour de 1986 à la Coupole, il est parti pour Djibouti et là, parce qu'il aimait la mer Rouge, les voiliers en bois et les livres de son ami de jeunesse Henry de Monfreid, il a largué les amarres. On l'a retrouvé deux mois plus tard, mort, assis sur le pont de son bateau, le corps tourné vers le soleil.

Il ne s'est pas suicidé, il s'est laissé mourir à sa convenance et à son rythme. Nous avons compris et nous n'avons pas pleuré.

Le second événement… Je n'en reviens toujours pas… Un rebondissement tel que j'en avais attendu en vain pendant des années.

Ça s'est passé aux *Éoliades*.

Depuis qu'on avait mis M. Léger à notre étage, il poussait des petits cris pour appeler sa femme à chaque fois qu'elle passait devant sa chambre ; un petit bruit hyper gênant qui faisait penser au son que lancent les bébés lamas pour appeler leur mère. Un faible mmmmmm interrogatif. Horrible !

Elle restait là, à regarder son mari, stationnant parfois de longs moments devant sa porte, mais le pauvre homme avait beau lui faire de grands signes dans la brume épaisse de ses souvenirs, cela n'évoquait rien à Madame, si bien qu'à un moment elle repartait pour sa course en déambulateur autour de l'étage en oubliant pourquoi elle s'était arrêtée. C'est ça qui le faisait pleurer, tour après tour, toute la journée. J'avais déjà dit plusieurs fois aux enfants Léger que l'idée de placer leurs deux parents au même étage était mauvaise, mais ils trouvaient ça plus pratique pour leurs visites et soidisant profitable pour leur père de voir sa femme.

Le 20 janvier vers vingt heures, alors que les aidessoignantes étaient occupées à coucher tout l'étage, j'ai entendu dans la chambre de M. Léger un bruit inhabituel puis le fameux mmmmmm mais cette fois continu et chantant.

Comme j'étais très préoccupée – je n'avais pas trouvé d'enveloppe le matin au Monoprix de Romainville sous mes Chamonix orange et mon shit n'avait pas bougé de la consigne –, je n'y avais pas prêté attention. En plus ma mère était particulièrement chiante ce soir-là, me réclamant un Coca light *glacé,* et non pas *froid* qu'elle refusait de boire et qu'elle avait renversé par terre, exprès. Après avoir épongé le sol, je suis donc sortie de sa chambre pour chercher une autre canette au distributeur et je suis passée devant celle de M. Léger en ruminant sans regarder vraiment à l'intérieur pour savoir pourquoi il chantonnait sans discontinuer depuis vingt minutes. Lorsque je suis revenue avec ma canette, une aide-soignante appelait à l'aide. M. Léger était en train de finir d'étrangler sa femme entre son bras et son avant-bras valide. Elle tentait de lui faire desserrer son étreinte sans y parvenir tellement il tenait solidement sa femme par le cou. Quand je suis arrivée dans la chambre, il était trop tard pour prêter main forte à l'aide-soignante, Mme Léger était morte.

Je pensais vraiment qu'avec ma mère j'étais parvenue aux confins de l'Enfer du Vieux ; il fallait croire que non, me suis-je dit en regardant chantonner le vieil assassin.

– *Ikh vil ein coca…* criait dans la chambre d'à côté ma mère qui, elle, était toujours là !

Il s'est passé un troisième événement, qui, cette fois, s'est déroulé dans ma cage d'escalier.

Le dernier samedi de ce fameux mois de janvier, ma voisine de palier mariait sa fille de vingt ans avec la débauche d'argent que l'on imagine dans les mariages chinois. Limousine blanche garée en bas de l'immeuble, abondance de fleurs dans le hall et dans la cage d'escalier digne d'un parrain de la mafia… Les familles montaient et descendaient depuis des heures pour prêter allégeance et donner leur enveloppe remplie d'argent à Mme Fò qui recevait la porte ouverte.

À un moment j'ai entendu des hurlements. Au travers du judas de ma porte, j'ai vu une bande de quatre Noirs ultra rapides et violents tomber sur les quelques invités présents pour leur arracher leur sac à coups de poing, n'hésitant pas à cogner les vieux et les femmes pour progresser jusqu'au trésor de Mme Fò. Trois d'entre eux ont fini par s'engouffrer chez ma voisine pour lui voler tout son argent, pendant que le quatrième faisait le guet, dos à ma porte. Dans un réflexe j'ai pris mon arme, je suis sortie et j'ai pointé mon revolver sous la mâchoire du Noir le plus proche de moi, un gosse d'à peine quinze ans qui me fixait de ses yeux affolés. La situation s'est figée nette. Ça hurlait en chinois de partout. Je ne comprends pas cette langue, mais je savais qu'ils voulaient tous que je tire.

– Rendez les sacs et tirez-vous avant qu'ils ne referment les portes et que vous ne ressortiez jamais.

Et ils sont partis en courant.

Je tremblais comme une feuille mais pas Mme Fò. Elle a réajusté sa tenue et m'a sobrement remerciée.

– Pas première fois. Personne aime Chinois. La police pas aider nous jamais. Merci.

Et chacune de nous est rentrée chez elle.

… Et de citer ce proverbe chinois quelque peu hermétique : *Parler ne fait pas cuire le riz.*

Le pauvre M. Léger a été mis en examen pour homicide volontaire et placé sous contrôle judiciaire pour avoir abrégé, comme il pouvait, la déchéance de sa femme bien-aimée (pourquoi ce pays est-il à ce point dénué du sens du ridicule ?).

Comme il refusait de s'alimenter, il a fini par être jeté des *Éoliades* par la directrice pour atterrir dans le service de Nurse Ratched qui l'a intubé pour le nourrir de force jusqu'à l'achever en lui perçant l'œsophage.

… Et puis à la mi-février, dans ma boîte aux lettres m'attendait la copie du titre de propriété de l'appartement rue Monge. J'avais payé 60 000 euros un bien immobilier qui en valait 700 000.

Lorsque j'ai ouvert la lettre, je me suis assise à même le sol dans mon hall d'entrée, le souffle coupé comme après une longue course. J'étais parvenue à force de travail et de voyages en Suisse à reconstituer le trésor de mon père en convertissant plus de deux millions d'euros en diamants roses et j'étais propriétaire de deux appartements, un pour chacune de mes filles. Je pouvais donc arrêter.

La-fille-Léger-aux-yeux-émerillonnés-par-l'argent, comprenant que le viager avait été purgé et qu'elle n'aurait pas un sou d'héritage, ne voulait plus me lâcher, si bien que j'ai dû appeler son frère pour que le harcèlement cesse.

– Qu'elle arrête de m'appeler pour me traiter de sale voleuse !

– Je lui ai dit de laisser tomber, mais elle ne veut rien entendre.

– Écoutez, je suis une personne honnête, et je suis sûre, connaissant bien la police, que vous avez dû faire votre petite enquête sur moi… Je n'ai pas à supporter ça, surtout que moi, ma mère, elle, elle est toujours là. Je compte sur vous pour que cela s'arrête parce que, sinon, je serai obligée de porter plainte.

– Oui, oui, oui… je m'en occupe, a-t-il fait en soupirant.

– Je ne suis pas un monstre et je suis prête à faire un geste à condition que vous vous en occupiez. Ouvrez un compte d'épargne au nom de vos neveux et je donnerai à chacun 20 000 euros pour financer leurs études. Voilà, je ne peux pas faire plus.

– C'est déjà énorme. Vous êtes une femme bien !

Oui, oui, je sais, je suis une femme bien.

Voilà… Scotch, Momo, Lézard, Chocapic et les autres – ma bande – ont tous été arrêtés. Je l'ai appris par Philippe qui m'avait invitée à passer un week-end au Touquet avec son fils. Ça me convenait. Tout me convenait, d'ailleurs. J'étais aux anges.

Philippe et moi n'étions pas dans la même chambre, nous avons juste dîné et nagé ensemble dans la piscine de l'hôtel. Je ne mentirai pas, j'ai été très heureuse pendant ces deux jours à me promener avec ADN sur la plage et à faire semblant d'avoir une famille.

Ma mère, qui avait occupé la planète pendant quatre-vingt-douze ans, est morte enfin le 28 mars 2017.

Anta, croyant bien faire, avait peigné sa tignasse grise pour faire comme une auréole autour de sa tête. C'était ridicule. Nous étions toutes les trois avec mes filles autour de son lit à la regarder, et à un moment nous avons éclaté de rire.

Je sais malgré tout qu'elles étaient tristes car elles aimaient beaucoup leur grand-mère. Je ne peux pas nier qu'elle a toujours été là pour s'occuper d'elles lorsqu'il m'arrivait de travailler quarante-huit heures d'affilée sans mettre les pieds à la maison. Dans un tourbillon de robes à volants, elle a claqué une partie de l'argent que mon père lui avait laissé en les emmenant en vacances à l'autre bout de la terre et en leur payant toutes les fringues que je leur refusais. Tout ce qu'elles ont fait de sympa au cours de leur enfance, elles l'ont fait avec elle, alors que de mon côté je bataillais pour ne pas me noyer. À supposer qu'elle fût capable de sentiments, je pense qu'elle les a aimées cent fois plus qu'elle ne m'a aimée, moi, sa fille unique à qui elle reprochait d'être l'ennemie de sa joie et de personnifier la dureté de la vie. Au diable Patience et tous ses malheurs, le spectacle de sa tristesse m'offense. *Tout ça est d'un ennui... allons faire les soldes !* Elle a été une mère égoïste et archi injuste.

Comme dans notre famille nous n'avons ni terre ni tombe, elle voulait être incinérée et que ses cendres soient jetées aux Grands Magasins.

Les filles et moi avons donc exécuté ses dernières volontés en choisissant les Galeries Lafayette. Après la cérémonie au crématorium, nous avons divisé entre nous le contenu de l'urne. Je me suis chargée de répandre ma partie dans les boutiques de ses créateurs préférés. Si dans la collection printemps-été 2017, vous avez trouvé un peu de poussière grise ou de curieux petits morceaux au fond de vos poches de tailleur de la marque Dior, Nina Ricci ou Balenciaga, il s'agit de ma mère. Quant à mes filles, je les ai vues côte à côte en train de larguer doucement le reste à partir de la balustrade, sous la coupole en vitrail, au-dessus de la parfumerie.

Pour finir nous sommes allées nous empiffrer chez Angelina situé au rayon soutiens-gorge.

On pouvait difficilement faire plus *girly* comme célébration ; pour une fois elle aurait été satisfaite.

Profitant de son décès, j'ai blanchi une partie de mon argent au titre de sa succession et j'ai accepté la proposition de Colette Fò de me racheter mon appartement. Malgré mon acte de bravoure, elle ne m'a fait aucune ristourne, mais m'a dit cette phrase qui m'a laissée comme deux ronds de flan :

– Vous pouvez laisser drogue dans la cave jusqu'à trouver autre endroit.

Là, je suis restée le souffle coupé.

– Je croyais que vous ne me voyiez même pas, ai-je réussi à balbutier.

Elle m'a souri :

– Dans l'immeuble nous appeler vous *le fantôme*. Mais vous moins fantôme qu'avant. Beaucoup moins.

Elle m'a invitée à boire le thé et m'a raconté un peu sa vie. Elle avait sept ans de moins que moi et venait comme beaucoup de Chinois de Belleville de la province de Wenzhou, petit port de huit millions d'habitants, à quatre cents kilomètres de Shanghai. Elle n'était absolument pas veuve comme je me l'étais imaginé et il existait quelque part en Chine un M. Fò qu'elle ne voyait jamais et qui fabriquait des pièces détachées autos contrefaites qu'elle fourguait aux garagistes, d'où les sacs Barbès en plastique bleu blanc rouge de deux tonnes qu'elle trimbalait en même temps que moi dans l'ascenseur. Sa famille possédait également une usine de cheveux qui fabriquait des extensions importées en France et revendues à des Africains de Paris qui eux-mêmes les revendaient dans leur pays d'origine. Chaque centime gagné en Chine, en Afrique ou en France était réinvesti dans des licences de bars-tabacs PMU, grosses machines à blanchir, puis dans l'immobilier.

Ah, comme ça vous nous appelez les métèques, les rastaquouères, les étrangers… tremblez, bonnes gens, car nous vous écraserons tous !

Elle était arrivée il y a douze ans, rejoignant un oncle éloigné qui vivait déjà dans notre immeuble. Elle avait deux enfants : une fille née en Chine qui avait aujourd'hui une vingtaine d'années et qu'elle n'avait pas vue grandir, et une autre de douze ans née en France qu'elle avait eue en émigrant enceinte. À partir du moment où elle avait été naturalisée, elle avait fait venir petit à petit toute sa famille, cousins et vieillards compris. Son prénom, elle l'avait choisi comme ça, parce que Colette était le seul auteur français féminin qu'elle avait étudié à Wenzhou lorsqu'elle a appris pendant un an notre langue.

C'était une femme très sympathique et je m'en voulais à mort de ne pas avoir cherché à la connaître avant mon déménagement.

Je lui ai raconté ma vie en totale confiance tant son parcours me paraissait proche de celui de ma famille. Elle m'a posé quelques questions sur mon métier de traductrice et nous nous sommes trouvé un point commun assez inattendu, à savoir que nous ne gagnions toutes les deux notre vie qu'avec des Arabes. Son rêve à terme était d'investir le marché du Maghreb avec ses pièces détachées. Avec moi qui parlais la langue et qui avais prouvé mes qualités de commerçante, elle voyait se profiler une association radieuse. En cadeau d'amitié je lui ai donné l'arme de mon père après lui avoir fait promettre de ne pas l'utiliser elle-même mais de la donner à un garde du corps afin de protéger la communauté lors de leur prochaine fête. Enfin, nous sommes descendues à la cave pour déplacer dans une ancienne chaufferie ce qui restait de mon stock, soit exactement 463 kilos de shit compte tenu des échantillons que j'avais distribués.

— Vous quoi faire avec ça ?

— Je ne sais pas. Vous ne connaissez personne que ça pourrait intéresser ? Je n'en ai plus besoin ; j'ai assez d'argent pour ma toute petite famille.

— Drogue, en Chine, peine de mort. Que des emmerdes.

— Je m'en débarrasse, alors.

Avec l'argent de la vente de mon appartement aux Fò, j'en ai acheté un second rue Monge dans le même immeuble que celui des Léger dans lequel j'emménageai… et un matin de juin, je suis partie de Belleville.

Philippe m'a aidée à faire mes cartons et à les descendre dans le camion de déménagement.

Lorsque presque tout a été chargé, nous étions morts de fatigue et je lui ai fait un café. Nous nous sommes assis sur les deux cartons qui restaient avec ADN dans nos pieds et je lui ai raconté avec une pointe de nostalgie les vingt-six années qui s'étaient écoulées entre ces quatre murs. À un moment il s'est levé pour fouiller mes placards.

– Si tu cherches des cuillères, j'ai tout vidé, elles sont parties.

– J'ai faim, je veux juste un petit truc à bouffer.

… et il a ouvert un placard où j'avais oublié une quinzaine de boîtes de Chamonix orange.

J'ai blêmi.

Il en a joyeusement entamé une et me l'a tendue :

– Dis donc, qu'est-ce que tu les aimes, ces gâteaux !

– J'étais censée faire un jour un tiramisu à l'orange pour une fête d'une de mes filles et ça ne s'est pas fait, du coup, ils me sont restés sur les bras, alors j'essaye de les éliminer boîte après boîte avant qu'ils ne soient périmés.

Il a bu son café silencieusement et j'ai vu son visage changer.

Moi, je me suis affairée comme si de rien n'était.

– Je me suis toujours demandé qui mangeait des Chamonix orange ; c'est dégueulasse comme gâteaux, a-t-il dit, doucement…

Comme dans une expérience de mort imminente, j'ai passé en revue tous les indices que j'avais laissés derrière moi. Je m'étais mille fois épiée en passant devant les vitrines et je savais que sur les images de vidéosurveillance, j'étais méconnaissable travestie en Daronne. Mes partenaires ne pouvaient pas me reconnaître sauf peut-être grâce à ma voix, mais mon ton autoritaire dans une autre langue que le français rendait l'identification difficile. Et puis il ne fallait pas oublier de quels grands intellectuels on parlait ! Je n'avais pris que des taxis et encore, jamais devant chez moi. Quant à mes échanges en grandes surfaces, à part cette histoire de gâteaux, rien ne me rendait identifiable. Il n'y avait qu'une seule journée, celle de la plantade du Tati mariage, qui pouvait me faire plonger, car quelque part sur une vidéo urbaine datant de quatre mois, on voyait ADN à mes côtés au bout d'une laisse. Il y avait également une fausse traduction d'écoute téléphonique, et encore, j'avais trafiqué le truc pour qu'on puisse croire à un contresens et non à une falsification par rapport à ce que j'avais entendu. Dès que j'ai compris que Scotch et sa bande avaient été arrêtés, j'avais jeté tous mes déguisements et ma compteuse de billets. Je n'avais jamais manié le shit autrement qu'avec des gants ; shit introuvable, caché dans un recoin chinois de la cave de l'immeuble. Mon blanchiment d'argent avait été irréprochable et ce n'est pas le bénéficiaire de mes largesses, j'ai nommé M. l'inspecteur Léger, qui dirait l'inverse. Pour ce qui était de mes allers-retours en Suisse, j'avais toujours acheté mon billet en liquide au comptoir de la Gare de Lyon en donnant une fausse identité. Quant à mes diamants roses, bon courage, ils pouvaient toujours essayer de les trouver, ils étaient agglomérés dans du rouge à lèvres et planqués dans ma trousse à maquillage. Non, j'avais beau réfléchir, il n'y avait rien à part ces gâteaux sucrasses avec lesquels Philippe était en train de s'étouffer.

– Qu'est-ce que tu as ? Ils ne sont plus bons ?

… et il m'a dévisagée comme s'il pensait pouvoir sonder mon cerveau.

– Quoi ? ai-je fait en rigolant.

C'est juste ce moment-là qu'ADN a choisi pour venir poser sa tête sur sa cuisse et quémander un câlin… et là, en un clin d'œil, il a plus ou moins compris comment je m'y étais prise pour trouver de la marchandise à vendre, accepté qu'il ne pourrait pas le prouver et décidé qu'il n'agirait pas.

Désolée, mon pauvre Philippe, de cette petite mort que je t'inflige... mais si tu étais un peu moins honnête, aussi...

– Je vais rentrer, je ne me sens pas très bien… a-t-il fait.

Et c'est un homme qui a pris en une fraction de seconde un accablant coup de vieux que j'ai vu quitter l'appartement de mon ancienne vie.

Il ne m'a jamais rappelée. Moi non plus.

La fin de mon aventure n'est plus très intéressante, même si elle s'est terminée en affaire d'État.

Pour me débarrasser des 463 kilos de shit qui me restaient, j'ai contacté les Tunisiens suivis et écoutés par l'OCRTIS en leur expliquant que j'avais eu leur numéro d'un ami d'ami de mon soi-disant fils qui cachait dans sa chambre du shit dont je voulais à tout prix me débarrasser. J'ai chargé toute ma marchandise dans une Utilib, une Autolib utilitaire, prise avec la carte d'un Chinois mort… et c'est une vieille daronne geignarde et mal fagotée qui, cette fois, est allée à leur rencontre.

– Mon fils… son papa, vous savez, il a été tué par le GIA… Je suis toute seule à l'élever et il ne m'écoute pas… mais alors pas du tout !

J'étais tellement persuasive que les types se sont carrément inquiétés pour moi.

– Qu'il me tue, je m'en fiche, mais moi vivante, il n'ira pas en prison pour de la drogue. Avant toute cette histoire, il était bon à l'école, il était gentil… Allez, prenez tout, je veux plus voir ça chez nous !

Ils n'ont pas demandé leur reste et sont partis avec mon shit, le véhicule à ce point chargé que le bas de caisse traînait presque par terre… et moi je les ai regardés s'éloigner carrément soulagée.

Une semaine après, j'étais convoquée par le juge d'instruction qui voulait entendre le chauffeur des Benabdelaziz. Dans le couloir, assis et menotté, il m'attendait, moi sa traductrice attitrée.

– Je suis sûr que c'est toi qui as pris notre marchandise…

– Moi ? Mais qu'est-ce que j'en ferais ? En revanche, j'ai fait mon enquête. J'ai écouté beaucoup de trafiquants. Ça a mis le temps, mais maintenant je sais qui l'a ramassée… Et je trouve qu'ils devraient payer pour ce qu'ils ont fait parce que j'aimais beaucoup Khadidja. Ce sont des Tunisiens. J'ai leur nom, leur adresse, leur numéro de téléphone… Je peux tout vous donner.

Et voilà.

Il y a eu du dégât chez les dealers-indics-policiers. Des morts. Des flics en taule. Un gros scandale. J'avais eu le nez fin : ces types étaient bien des hybrides de trafiquants créés par l'Office central de la répression des stups.

Le reste de l'histoire est dans les journaux et elle a fait suffisamment de bruit pour que je n'y revienne pas.

Pas de police sans basse police, dit-on, eh bien qu'ils subissent donc la loi de leurs pairs, ces dealers fonctionnarisés.

Mambo

Et demain ?

Eh bien, c'est vertigineux toutes ces vies qui s'offrent à moi ; un devenir totalement ouvert. Je peux rentrer en France pour travailler avec Mme Fò, attendre d'être grand-mère et aller au parc avec mes petits-enfants pour les regarder grimper dans des cages à écureuils... Ou bien, comme une plante déracinée ballottée par le vent, rouler d'un feu d'artifice à l'autre pour m'arrêter bloquée par je ne sais quoi, une fois bien desséchée. Je peux aussi faire comme ma mère, jouer à la femme faussement affairée, acheter plein de trucs inutiles, les toucher, m'en lasser, les jeter, les rendre, les revendre ; être toujours pressée parce que les magasins ferment... Ou encore faire comme mon père, m'abstenir de me soigner et mourir noyée dans le rose du ciel d'une journée finissante comme celle-ci... Ou simplement vivre pour moi-même et pour la joie de me voir vivre.

On verra ; disons que pour le moment je suis en jachère...

Je me suis rendue dans le seul endroit au monde où j'étais attendue, à Mascate au sultanat d'Oman. Je suis descendue à l'hôtel où ma vie a déraillé comme le diamant d'un tourne-disque saute d'un sillon à l'autre,

175

d'une chanson douce à une ritournelle sinistre, et contrairement au palace de la petite collectionneuse de feux d'artifice celui-là n'a pas changé d'un poil.

Ce que j'aime par-dessus tout ces jours-ci, c'est glisser ma chaise au plus près de la fenêtre qui donne sur la baie. Je peux rester là pendant des heures à contempler le tableau parfait de couleurs que forment la moquette rose de ma chambre, l'armature en bois blond de la baie vitrée et le soleil qui comme une boule orange se noie dans de la lumière bleue… et ça me comble.

Là, je dois partir avant qu'il ne fasse trop noir. J'ai dû attendre la tombée de la nuit car la route jusqu'au Petroleum Cemetery est un peu longue et ADN, qui se fait vieux, n'aime pas la chaleur.

Mon mari et moi, finalement, on s'est peu connus, et ça fait si longtemps… Mais je pense qu'il aurait aimé la femme que je suis devenue. J'ai commandé pour ce soir un feu d'artifice qu'on ne tirera là-bas que pour lui et moi. J'y ai mis le prix. J'ai choisi des étoiles pailletées et des bombes à changement qui embraseront le ciel du désert d'immenses chrysanthèmes roses au cœur orange.

Une petite histoire pour la fin.

Ça s'est passé un soir à l'occasion d'un voyage que nous avons fait ensemble à Valparaíso. Nous sommes entrés dans un cabaret désert, le club Cinzanno à la déco kitsch et surannée, où les vieux membres d'un orchestre de musique tropicale dormaient, écroulés sur leur chaise face à de petites tables vides ornées de bougies. Tout à coup, celui qui devait être le leader du groupe, un vieillard aux cheveux teints et au corps voûté par l'arthrose, nous a aperçus à la porte. Il s'est redressé d'un coup sec et a crié « *mambo* » en agitant vigoureusement ses maracas en forme d'ananas afin de réveiller ses musiciens et leur insuffler une forme d'énergie désespérée.

« *Mambo.* »

Remerciements

Je remercie mes fidèles correcteurs Jean et Antony.

Merci aussi aux traducteurs-interprètes du Palais de Justice de Paris qui m'ont aidée et dont je tairai à dessein les noms de manière à ce qu'ils puissent continuer à travailler.

Je m'appelle Christophe Leibowitz, je suis avocat
pénaliste. Souvent commis d'office, je défends les frappes
de banlieue et les truands à la petite semaine, les dealers
qui n'ont pas le sens du commerce. Je ne pensais pas
pouvoir intéresser un proxo cogneur en lui racontant
Flaubert, ni même un jour faire évader de Fresnes l'ennemi
public numéro un, et pourtant...

RÉALISATION : NORD COMPO À VILLENEUVE-D'ASCQ
IMPRESSION : CPI FRANCE
DÉPÔT LÉGAL : MARS 2018. N° 138641 (3026928)
IMPRIMÉ EN FRANCE

Éditions Points

Le catalogue complet de nos collections est sur
Le Cercle Points, ainsi que des interviews de vos
auteurs préférés, des jeux-concours, des conseils
de lecture, des extraits en avant-première…

www.lecerclepoints.com

Collection Points Policier